Marguerite Y

Comment Wang-Fô
fut sauvé
et autres nouvelles

Dossier et notes réalisés par
Pierre-Louis Fort

Lecture d'image par
Agnès Verlet

folioplus
classiques

Docteur en lettres, **Pierre-Louis Fort** est chargé de cours à l'Université de Paris III et à Paris XII. Il a publié de nombreux articles sur Marguerite Yourcenar, Simone de Beauvoir et Annie Ernaux dans des revues critiques françaises, belges, italiennes et américaines. Chez Gallimard, il a notamment rédigé le commentaire de *La place* d'Annie Ernaux (Folioplus classiques n° 61).

Maître de conférences en littérature française à l'Université de Provence (Aix-Marseille I), **Agnès Verlet** centre de plus en plus ses recherches sur les rapports entre la littérature et les arts plastiques (peinture, sculpture). Elle travaille également sur la mémoire, l'inscription, la trace. Dans ce double registre, elle est l'auteur de plusieurs ouvrages, *Les Vanités de Chateaubriand* (Droz, 2001), et *Pierres parlantes, florilège d'épitaphes parisiennes* (Paris-Musées, 2000). Collaborant au *Magazine littéraire* et à *Europe*, elle a publié un roman et des nouvelles.

Sommaire

*Comment Wang-Fô fut sauvé
et autres nouvelles*

Comment Wang-Fô
fut sauvé

Le vieux peintre Wang-Fô et son disciple Ling
erraient le long des routes du royaume de Han.

Ils avançaient lentement, car Wang-Fô s'arrêtait la
nuit pour contempler les astres, le jour pour regarder les libellules. Ils étaient peu chargés, car Wang-Fô
aimait l'image des choses, et non les choses elles-
mêmes, et nul objet au monde ne lui semblait digne
d'être acquis, sauf des pinceaux, des pots de laque[1] et
d'encres de Chine, des rouleaux de soie et de papier
de riz. Ils étaient pauvres, car Wang-Fô troquait ses
peintures contre une ration de bouillie de millet[2] et
dédaignait les pièces d'argent. Son disciple Ling, pliant
sous le poids d'un sac plein d'esquisses, courbait respectueusement le dos comme s'il portait la voûte
céleste, car ce sac, aux yeux de Ling, était rempli de
montagnes sous la neige, de fleuves au printemps, et
du visage de la lune d'été.

Ling n'était pas né pour courir les routes au côté
d'un vieil homme qui s'emparait de l'aurore et captait

---

1. Peinture brillante.
2. Céréale.

le crépuscule. Son père était changeur d'or ; sa mère était l'unique enfant d'un marchand de jade qui lui avait légué ses biens en la maudissant parce qu'elle n'était pas un fils. Ling avait grandi dans une maison d'où la richesse éliminait les hasards. Cette existence soigneusement calfeutrée l'avait rendu timide : il craignait les insectes, le tonnerre et le visage des morts. Quand il eut quinze ans, son père lui choisit une épouse et la prit très belle, car l'idée du bonheur qu'il procurait à son fils le consolait d'avoir atteint l'âge où la nuit sert à dormir. L'épouse de Ling était frêle comme un roseau, enfantine comme du lait, douce comme la salive, salée comme les larmes. Après les noces, les parents de Ling poussèrent la discrétion jusqu'à mourir, et leur fils resta seul dans sa maison peinte de cinabre [1], en compagnie de sa jeune femme, qui souriait sans cesse, et d'un prunier qui chaque printemps donnait des fleurs roses. Ling aima cette femme au cœur limpide comme on aime un miroir qui ne se ternirait pas, un talisman qui protégerait toujours. Il fréquentait les maisons de thé pour obéir à la mode et favorisait modérément les acrobates et les danseuses.

Une nuit, dans une taverne, il eut Wang-Fô pour compagnon de table. Le vieil homme avait bu pour se mettre en état de mieux peindre un ivrogne ; sa tête penchait de côté, comme s'il s'efforçait de mesurer la distance qui séparait sa main de sa tasse. L'alcool de riz déliait la langue de cet artisan taciturne, et Wang ce soir-là parlait comme si le silence était un mur, et

---

1. Matière rouge.

les mots des couleurs destinées à le couvrir. Grâce à lui, Ling connut la beauté des faces de buveurs estompées par la fumée des boissons chaudes, la splendeur brune des viandes inégalement léchées par les coups de langue du feu, et l'exquise roseur des taches de vin parsemant les nappes comme des pétales fanés. Un coup de vent creva la fenêtre ; l'averse entra dans la chambre. Wang-Fô se pencha pour faire admirer à Ling la zébrure livide de l'éclair, et Ling, émerveillé, cessa d'avoir peur de l'orage.

Ling paya l'écot[1] du vieux peintre : comme Wang-Fô était sans argent et sans hôte, il lui offrit humblement un gîte. Ils firent route ensemble ; Ling tenait une lanterne ; sa lueur projetait dans les flaques des feux inattendus. Ce soir-là, Ling apprit avec surprise que les murs de sa maison n'étaient pas rouges, comme il l'avait cru, mais qu'ils avaient la couleur d'une orange prête à pourrir. Dans la cour, Wang-Fô remarqua la forme délicate d'un arbuste, auquel personne n'avait prêté attention jusque-là, et le compara à une jeune femme qui laisse sécher ses cheveux. Dans le couloir, il suivit avec ravissement la marche hésitante d'une fourmi le long des crevasses de la muraille, et l'horreur de Ling pour ces bestioles s'évanouit. Alors, comprenant que Wang-Fô venait de lui faire cadeau d'une âme et d'une perception neuves, Ling coucha respectueusement le vieillard dans la chambre où ses père et mère étaient morts.

Depuis des années, Wang-Fô rêvait de faire le por-

---

1. Quote-part de chacun à une dépense commune, à l'origine, un repas.

trait d'une princesse d'autrefois jouant du luth sous un saule. Aucune femme n'était assez irréelle pour lui servir de modèle, mais Ling pouvait le faire, puisqu'il n'était pas une femme. Puis Wang-Fô parla de peindre un jeune prince tirant de l'arc au pied d'un grand cèdre. Aucun jeune homme du temps présent n'était assez irréel pour lui servir de modèle, mais Ling fit poser sa propre femme sous le prunier du jardin. Ensuite, Wang-Fô la peignit en costume de fée parmi les nuages du couchant, et la jeune femme pleura, car c'était un présage de mort. Depuis que Ling lui préférait les portraits que Wang-Fô faisait d'elle, son visage se flétrissait, comme la fleur en butte au vent chaud ou aux pluies d'été. Un matin, on la trouva pendue aux branches du prunier rose : les bouts de l'écharpe qui l'étranglait flottaient mêlés à sa chevelure ; elle paraissait plus mince encore que d'habitude, et pure comme les belles célébrées par les poètes des temps révolus. Wang-Fô la peignit une dernière fois, car il aimait cette teinte verte dont se recouvre la figure des morts. Son disciple Ling broyait les couleurs, et cette besogne exigeait tant d'application qu'il oubliait de verser des larmes.

Ling vendit successivement ses esclaves, ses jades et les poissons de sa fontaine pour procurer au maître des pots d'encre pourpre qui venaient d'Occident. Quand la maison fut vide, ils la quittèrent, et Ling ferma derrière lui la porte de son passé. Wang-Fô était las d'une ville où les visages n'avaient plus à lui apprendre aucun secret de laideur ou de beauté, et le maître et le disciple vagabondèrent ensemble sur les routes du royaume de Han.

Leur réputation les précédait dans les villages, au seuil des châteaux forts et sous le porche des temples où les pèlerins inquiets se réfugient au crépuscule. On disait que Wang-Fô avait le pouvoir de donner la vie à ses peintures par une dernière touche de couleur qu'il ajoutait à leurs yeux. Les fermiers venaient le supplier de leur peindre un chien de garde, et les seigneurs voulaient de lui des images de soldats. Les prêtres honoraient Wang-Fô comme un sage ; le peuple le craignait comme un sorcier. Wang se réjouissait de ces différences d'opinions qui lui permettaient d'étudier autour de lui des expressions de gratitude, de peur, ou de vénération.

Ling mendiait la nourriture, veillait sur le sommeil du maître et profitait de ses extases pour lui masser les pieds. Au point du jour, quand le vieux dormait encore, il partait à la chasse de paysages timides dissimulés derrière des bouquets de roseaux. Le soir, quand le maître, découragé, jetait ses pinceaux sur le sol, il les ramassait. Lorsque Wang était triste et parlait de son grand âge, Ling lui montrait en souriant le tronc solide d'un vieux chêne ; lorsque Wang était gai et débitait des plaisanteries, Ling faisait humblement semblant de l'écouter.

Un jour, au soleil couchant, ils atteignirent les faubourgs de la ville impériale, et Ling chercha pour Wang-Fô une auberge où passer la nuit. Le vieux s'enveloppa dans des loques, et Ling se coucha contre lui pour le réchauffer, car le printemps venait à peine de naître, et le sol de terre battue était encore gelé. À l'aube, des pas lourds retentirent dans les corridors de l'auberge ; on entendit les chuchotements effrayés de l'hôte, et des commandements criés en langue barbare. Ling frémit, se souvenant qu'il avait volé la veille un gâteau de riz pour le repas du maître. Ne doutant pas qu'on ne vînt l'arrêter, il se demanda qui aiderait demain Wang-Fô à passer le gué du prochain fleuve.

Les soldats entrèrent avec des lanternes. La flamme filtrant à travers le papier bariolé jetait des lueurs rouges ou bleues sur leurs casques de cuir. La corde d'un arc vibrait sur leur épaule, et les plus féroces poussaient tout à coup des rugissements sans raison. Ils posèrent lourdement la main sur la nuque de Wang-Fô, qui ne put s'empêcher de remarquer que leurs manches n'étaient pas assorties à la couleur de leur manteau.

Soutenu par son disciple, Wang-Fô suivit les soldats en trébuchant le long des routes inégales. Les passants attroupés se gaussaient[1] de ces deux criminels qu'on menait sans doute décapiter. À toutes les questions de Wang, les soldats répondaient par une grimace sauvage. Ses mains ligotées souffraient, et Ling désespéré regardait son maître en souriant, ce qui était pour lui une façon plus tendre de pleurer.

Ils arrivèrent sur le seuil du palais impérial, dont les murs violets se dressaient en plein jour comme un pan de crépuscule. Les soldats firent franchir à Wang-Fô d'innombrables salles carrées ou circulaires dont la forme symbolisait les saisons, les points cardinaux, le mâle et la femelle, la longévité, les prérogatives du pouvoir. Les portes tournaient sur elles-mêmes en

---

1. Se moquaient.

émettant une note de musique, et leur agencement était tel qu'on parcourait toute la gamme en traversant le palais de l'Est au Couchant. Tout se concertait pour donner l'idée d'une puissance et d'une subtilité surhumaines, et l'on sentait que les moindres ordres prononcés ici devaient être définitifs et terribles comme la sagesse des ancêtres. Enfin, l'air se raréfia ; le silence devint si profond qu'un supplicié même n'eût pas osé crier. Un eunuque[1] souleva une tenture ; les soldats tremblèrent comme des femmes, et la petite troupe entra dans la salle où trônait le Fils du Ciel.

C'était une salle dépourvue de murs, soutenue par d'épaisses colonnes de pierre bleue. Un jardin s'épanouissait de l'autre côté des fûts de marbre, et chaque fleur contenue dans ses bosquets appartenait à une espèce rare apportée d'au-delà les océans. Mais aucune n'avait de parfum, de peur que la méditation du Dragon Céleste ne fût troublée par les bonnes odeurs. Par respect pour le silence où baignaient ses pensées, aucun oiseau n'avait été admis à l'intérieur de l'enceinte, et on en avait même chassé les abeilles. Un mur énorme séparait le jardin du reste du monde, afin que le vent, qui passe sur les chiens crevés et les cadavres des champs de bataille, ne pût se permettre de frôler la manche de l'Empereur.

Le Maître Céleste était assis sur un trône de jade, et ses mains étaient ridées comme celles d'un vieillard, bien qu'il eût à peine vingt ans. Sa robe était bleue pour figurer l'hiver, et verte pour rappeler le prin-

---

1. Homme castré, gardien du harem.

temps. Son visage était beau, mais impassible comme un miroir placé trop haut qui ne refléterait que les astres et l'implacable ciel. Il avait à sa droite son Ministre des Plaisirs Parfaits, et à sa gauche son Conseiller des Justes Tourments. Comme ses courtisans, rangés au pied des colonnes, tendaient l'oreille pour recueillir le moindre mot sorti de ses lèvres, il avait pris l'habitude de parler toujours à voix basse.

— Dragon Céleste, dit Wang-Fô prosterné, je suis vieux, je suis pauvre, je suis faible. Tu es comme l'été ; je suis comme l'hiver. Tu as Dix Mille Vies ; je n'en ai qu'une, et qui va finir. Que t'ai-je fait ? On a lié mes mains, qui ne t'ont jamais nui.

— Tu me demandes ce que tu m'as fait, vieux Wang-Fô ? dit l'Empereur.

Sa voix était si mélodieuse qu'elle donnait envie de pleurer. Il leva sa main droite, que les reflets du pavement de jade faisaient paraître glauque comme une plante sous-marine, et Wang-Fô, émerveillé par la longueur de ces doigts minces, chercha dans ses souvenirs s'il n'avait pas fait de l'Empereur, ou de ses ascendants, un portrait médiocre qui mériterait la mort. Mais c'était peu probable, car Wang-Fô jusqu'ici avait peu fréquenté la cour des empereurs, lui préférant les huttes des fermiers, ou, dans les villes, les faubourgs des courtisanes et les tavernes le long des quais où se querellent les portefaix[1].

— Tu me demandes ce que tu m'as fait, vieux Wang-Fô ? reprit l'Empereur en penchant son cou grêle vers le vieil homme qui l'écoutait. Je vais te le

---

1. Personne qui porte des fardeaux.

dire. Mais, comme le venin d'autrui ne peut se glisser
en nous que par nos neuf ouvertures, pour te mettre
en présence de tes torts, je dois te promener le long
des corridors de ma mémoire, et te raconter toute
ma vie. Mon père avait rassemblé une collection de
tes peintures dans la chambre la plus secrète du
palais, car il était d'avis que les personnages des
tableaux doivent être soustraits à la vue des pro-
fanes[1], en présence de qui ils ne peuvent baisser les
yeux. C'est dans ces salles que j'ai été élevé, vieux
Wang-Fô, car on avait organisé autour de moi la solitude pour me permettre d'y grandir. Pour éviter à
ma candeur l'éclaboussure des âmes humaines, on
avait éloigné de moi le flot agité de mes sujets futurs,
et il n'était permis à personne de passer devant mon
seuil, de peur que l'ombre de cet homme ou de cette
femme ne s'étendît jusqu'à moi. Les quelques vieux
serviteurs qu'on m'avait octroyés se montraient le
moins possible ; les heures tournaient en cercle ; les
couleurs de tes peintures s'avivaient avec l'aube et
pâlissaient avec le crépuscule. La nuit, quand je ne
parvenais pas à dormir, je les regardais, et, pendant
près de dix ans, je les ai regardées toutes les nuits. Le
jour, assis sur un tapis dont je savais par cœur le dessin, reposant mes paumes vides sur mes genoux de
soie jaune, je rêvais aux joies que me procurerait
l'avenir. Je me représentais le monde, le pays de Han
au milieu, pareil à la plaine monotone et creuse de la
main que sillonnent les lignes fatales des Cinq Fleuves.
Tout autour, la mer où naissent les monstres, et, plus

---

1. Ignorants, non initiés à une religion ou à une activité.

loin encore, les montagnes qui supportent le ciel. Et, pour m'aider à me représenter toutes ces choses, je me servais de tes peintures. Tu m'as fait croire que la mer ressemblait à la vaste nappe d'eau étalée sur tes toiles, si bleue qu'une pierre en y tombant ne peut que se changer en saphir, que les femmes s'ouvraient et se refermaient comme des fleurs, pareilles aux créatures qui s'avancent, poussées par le vent, dans les allées de tes jardins, et que les jeunes guerriers à la taille mince qui veillent dans les forteresses des frontières étaient eux-mêmes des flèches qui pouvaient vous transpercer le cœur. À seize ans, j'ai vu se rouvrir les portes qui me séparaient du monde : je suis monté sur la terrasse du palais pour regarder les nuages, mais ils étaient moins beaux que ceux de tes crépuscules. J'ai commandé ma litière : secoué sur des routes dont je ne prévoyais ni la boue ni les pierres, j'ai parcouru les provinces de l'Empire sans trouver tes jardins pleins de femmes semblables à des lucioles, tes femmes dont le corps est lui-même un jardin. Les cailloux des rivages m'ont dégoûté des océans ; le sang des suppliciés est moins rouge que la grenade figurée sur tes toiles ; la vermine des villages m'empêche de voir la beauté des rizières ; la chair des femmes vivantes me répugne comme la viande morte qui pend aux crocs des bouchers, et le rire épais de mes soldats me soulève le cœur. Tu m'as menti, Wang-Fô, vieil imposteur : le monde n'est qu'un amas de taches confuses, jetées sur le vide par un peintre insensé, sans cesse effacées par nos larmes. Le royaume de Han n'est pas le plus beau des royaumes, et je ne suis pas l'Empereur. Le seul empire sur lequel

il vaille la peine de régner est celui où tu pénètres,
vieux Wang, par le chemin des Mille Courbes et des
Dix Mille Couleurs. Toi seul règnes en paix sur des
montagnes couvertes d'une neige qui ne peut fondre,
et sur des champs de narcisses qui ne peuvent pas
mourir. Et c'est pourquoi, Wang-Fô, j'ai cherché quel
supplice te serait réservé, à toi dont les sortilèges
m'ont dégoûté de ce que je possède, et donné le
désir de ce que je ne posséderai pas. Et pour t'enfermer dans le seul cachot dont tu ne puisses sortir, j'ai
décidé qu'on te brûlerait les yeux, puisque tes yeux,
Wang-Fô, sont les deux portes magiques qui t'ou-
vrent ton royaume. Et puisque tes mains sont les
deux routes aux dix embranchements qui te mènent
au cœur de ton empire, j'ai décidé qu'on te couperait
les mains. M'as-tu compris, vieux Wang-Fô ?

En entendant cette sentence, le disciple Ling arra-
cha de sa ceinture un couteau ébréché et se précipita
sur l'Empereur. Deux gardes le saisirent. Le Fils du
Ciel sourit et ajouta dans un soupir :

— Et je te hais aussi, vieux Wang-Fô, parce que tu
as su te faire aimer. Tuez ce chien.

Ling fit un bond en avant pour éviter que son sang
ne vînt tacher la robe du maître. Un des soldats leva
son sabre, et la tête de Ling se détacha de sa nuque,
pareille à une fleur coupée. Les serviteurs emportè-
rent ses restes, et Wang-Fô, désespéré, admira la
belle tache écarlate que le sang de son disciple faisait
sur le pavement de pierre verte.

L'Empereur fit un signe, et deux eunuques essuyè-
rent les yeux de Wang-Fô.

— Écoute, vieux Wang-Fô, dit l'Empereur, et sèche

tes larmes, car ce n'est pas le moment de pleurer. Tes yeux doivent rester clairs, afin que le peu de lumière qui leur reste ne soit pas brouillée par tes pleurs. Car ce n'est pas seulement par rancune que je souhaite ta mort ; ce n'est pas seulement par cruauté que je veux te voir souffrir. J'ai d'autres projets, vieux Wang-Fô. Je possède dans ma collection de tes œuvres une peinture admirable où les montagnes, l'estuaire des fleuves et la mer se reflètent, infiniment rapetissés sans doute, mais avec une évidence qui surpasse celle des objets eux-mêmes, comme les figures qui se mirent sur les parois d'une sphère. Mais cette peinture est inachevée, Wang-Fô, et ton chef-d'œuvre est à l'état d'ébauche. Sans doute, au moment où tu peignais, assis dans une vallée solitaire, tu remarquas un oiseau qui passait, ou un enfant qui poursuivait cet oiseau. Et le bec de l'oiseau ou les joues de l'enfant t'ont fait oublier les paupières bleues des flots. Tu n'as pas terminé les franges du manteau de la mer, ni les cheveux d'algues des rochers. Wang-Fô, je veux que tu consacres les heures de lumière qui te restent à finir cette peinture, qui contiendra ainsi les derniers secrets accumulés au cours de ta longue vie. Nul doute que tes mains, si près de tomber, ne trembleront sur l'étoffe de soie, et l'infini pénétrera dans ton œuvre par ces hachures du malheur. Et nul doute que tes yeux, si près d'être anéantis, ne découvriront des rapports à la limite des sens humains. Tel est mon projet, vieux Wang-Fô, et je puis te forcer à l'accomplir. Si tu refuses, avant de t'aveugler, je ferai brûler toutes tes œuvres, et tu seras alors pareil à un père dont on a massacré les fils et détruit les espérances de postérité. Mais crois plutôt, si tu veux, que ce dernier commandement n'est qu'un effet de ma bonté, car je sais que la toile est la seule maîtresse que tu aies jamais caressée. Et t'offrir des pinceaux, des couleurs et de l'encre pour occuper tes dernières heures, c'est faire l'aumône d'une fille de joie à un homme qu'on va mettre à mort.

Sur un signe du petit doigt de l'Empereur, deux eunuques apportèrent respectueusement la peinture inachevée où Wang-Fô avait tracé l'image de la mer et du ciel. Wang-Fô sécha ses larmes et sourit, car cette petite esquisse lui rappelait sa jeunesse. Tout y attestait une fraîcheur d'âme à laquelle Wang-Fô ne pouvait plus prétendre, mais il y manquait cependant quelque chose, car à l'époque où Wang l'avait peinte, il n'avait pas encore assez contemplé de montagnes, ni de rochers baignant dans la mer leurs flancs nus, et ne s'était pas assez pénétré de la tristesse du crépuscule. Wang-Fô choisit un des pinceaux que lui présentait un esclave et se mit à étendre sur la mer inachevée de larges coulées bleues. Un eunuque accroupi à ses pieds broyait les couleurs ; il s'acquittait assez mal de cette besogne, et plus que jamais Wang-Fô regretta son disciple Ling.

Wang commença par teinter de rose le bout de l'aile d'un nuage posé sur une montagne. Puis il ajouta à la surface de la mer de petites rides qui ne faisaient que rendre plus profond le sentiment de sa sérénité. Le pavement de jade devenait singulièrement humide, mais Wang-Fô, absorbé dans sa peinture, ne s'apercevait pas qu'il travaillait assis dans l'eau.

Le frêle canot grossi sous les coups de pinceau du

peintre occupait maintenant tout le premier plan du rouleau de soie. Le bruit cadencé des rames s'éleva soudain dans la distance, rapide et vif comme un battement d'aile. Le bruit se rapprocha, emplit doucement toute la salle, puis cessa, et des gouttes tremblaient, immobiles, suspendues aux avirons du batelier. Depuis longtemps, le fer rouge destiné aux yeux de Wang s'était éteint sur le brasier du bourreau. Dans l'eau jusqu'aux épaules, les courtisans, immobilisés par l'étiquette[1], se soulevaient sur la pointe des pieds. L'eau atteignit enfin au niveau du cœur impérial. Le silence était si profond qu'on eût entendu tomber des larmes.

C'était bien Ling. Il avait sa vieille robe de tous les jours, et sa manche droite portait encore les traces d'un accroc qu'il n'avait pas eu le temps de réparer, le matin, avant l'arrivée des soldats. Mais il avait autour du cou une étrange écharpe rouge.

Wang-Fô lui dit doucement en continuant à peindre :

— Je te croyais mort.

— Vous vivant, dit respectueusement Ling, comment aurais-je pu mourir ?

Et il aida le maître à monter en barque. Le plafond de jade se reflétait sur l'eau, de sorte que Ling paraissait naviguer à l'intérieur d'une grotte. Les tresses des courtisans submergés ondulaient à la surface comme des serpents, et la tête pâle de l'Empereur flottait comme un lotus.

— Regarde, mon disciple, dit mélancoliquement Wang-Fô. Ces malheureux vont périr, si ce n'est déjà

---

1. Les règles à respecter.

fait. Je ne me doutais pas qu'il y avait assez d'eau dans la mer pour noyer un Empereur. Que faire ?

— Ne crains rien, Maître, murmura le disciple. Bientôt, ils se trouveront à sec et ne se souviendront même pas que leur manche ait jamais été mouillée. Seul, l'Empereur gardera au cœur un peu d'amertume marine. Ces gens ne sont pas faits pour se perdre à l'intérieur d'une peinture.

Et il ajouta :

— La mer est belle, le vent bon, les oiseaux marins font leur nid. Partons, mon Maître, pour le pays au-delà des flots.

— Partons, dit le vieux peintre.

Wang-Fô se saisit du gouvernail, et Ling se pencha sur les rames. La cadence des avirons emplit de nouveau toute la salle, ferme et régulière comme le bruit d'un cœur. Le niveau de l'eau diminuait insensiblement autour des grands rochers verticaux qui redevenaient des colonnes. Bientôt, quelques rares flaques brillèrent seules dans les dépressions du pavement de jade. Les robes des courtisans étaient sèches, mais l'Empereur gardait quelques flocons d'écume dans la frange de son manteau.

Le rouleau achevé par Wang-Fô restait posé sur la table basse. Une barque en occupait tout le premier plan. Elle s'éloignait peu à peu, laissant derrière elle un mince sillage qui se refermait sur la mer immobile. Déjà, on ne distinguait plus le visage des deux hommes assis dans le canot. Mais on apercevait encore l'écharpe rouge de Ling, et la barbe de Wang-Fô flottait au vent.

La pulsation des rames s'affaiblit, puis cessa, oblitérée par la distance. L'Empereur, penché en avant, la main sur les yeux, regardait s'éloigner la barque de Wang qui n'était déjà plus qu'une tache imperceptible dans la pâleur du crépuscule. Une buée d'or s'éleva et se déploya sur la mer. Enfin, la barque vira autour d'un rocher qui fermait l'entrée du large ; l'ombre d'une falaise tomba sur elle ; le sillage s'effaça de la surface déserte, et le peintre Wang-Fô et son disciple Ling disparurent à jamais sur cette mer de jade bleu que Wang-Fô venait d'inventer.

Le lait de la mort

La longue file beige et grise des touristes s'étirait dans la grande rue de Raguse; les bonnets soutachés[1], les opulentes vestes brodées se balançant au vent sur le seuil des boutiques allumaient l'œil des voyageurs en quête de cadeaux à bon marché ou de travestis pour les bals costumés du bord. Il faisait chaud comme il ne fait chaud qu'en enfer. Les montagnes pelées de l'Herzégovine maintenaient Raguse sous des feux de miroirs ardents. Philip Mild passa à l'intérieur d'une brasserie allemande où quelques grosses mouches bourdonnaient dans une demi-obscurité étouffante. La terrasse du restaurant donnait paradoxalement sur l'Adriatique, reparue là en pleine ville, à l'endroit où on l'eût le moins attendue, sans que cette subite échappée bleue servît à autre chose qu'à ajouter une couleur de plus au bariolage de la place du Marché. Une puanteur montait d'un tas de détritus de poissons que nettoyaient des mouettes presque insupportablement blanches. Aucun souffle ne provenait du large. Le compagnon de cabine de

---

1. Garnis d'une tresse décorative.

Philip, l'ingénieur Jules Boutrin, buvait attablé à un guéridon de zinc, à l'ombre d'un parasol couleur feu qui ressemblait de loin à une grosse orange flottant sur la mer.

— Racontez-moi une autre histoire, vieil ami, dit Philip en s'affalant lourdement sur une chaise. J'ai besoin d'un whisky et d'une histoire devant la mer… L'histoire la plus belle et la moins vraie possible, et qui me fasse oublier les mensonges patriotiques et contradictoires des quelques journaux que je viens d'acheter sur le quai. Les Italiens insultent les Slaves, les Slaves les Grecs, les Allemands les Russes, les Français l'Allemagne et, presque autant, l'Angleterre. Tous ont raison, j'imagine. Parlons d'autre chose… Qu'avez-vous fait hier à Scutari, où vous étiez si curieux d'aller voir de vos yeux je ne sais quelles turbines[1] ?

— Rien, dit l'ingénieur. À part un coup d'œil à d'incertains travaux de barrage, j'ai consacré le plus clair de mon temps à chercher une tour. J'ai entendu tant de vieilles femmes serbes me raconter l'histoire de la Tour de Scutari que j'avais besoin de repérer ses briques ébréchées et d'inspecter s'il ne s'y trouve pas, comme on l'affirme, une traînée blanche… Mais le temps, les guerres et les paysans du voisinage soucieux de consolider les murs de leurs fermes l'ont démolie pierre à pierre, et son souvenir ne tient debout que dans les contes… À propos, Philip, êtes-vous assez chanceux pour avoir ce qu'on appelle une bonne mère ?

— Quelle question, fit négligemment le jeune

---

1. Moteur.

Anglais. Ma mère est belle, mince, maquillée, dure comme la glace d'une vitrine. Que voulez-vous encore que je vous dise? Quand nous sortons ensemble, on me prend pour son frère aîné.

— C'est ça. Vous êtes comme nous tous. Quand je pense que des idiots prétendent que notre époque manque de poésie, comme si elle n'avait pas ses surréalistes, ses prophètes, ses stars de cinéma et ses dictateurs. Croyez-moi, Philip, ce dont nous manquons, c'est de réalités. La soie est artificielle, les nourritures détestablement synthétiques ressemblent à ces doubles d'aliments dont on gave les momies, et les femmes stérilisées contre le malheur et la vieillesse ont cessé d'exister. Ce n'est plus que dans les légendes des pays à demi barbares qu'on rencontre encore ces créatures riches de lait et de larmes dont on serait fier d'être l'enfant... Où ai-je entendu parler d'un poète qui ne pouvait aimer aucune femme parce qu'il avait dans une autre vie rencontré Antigone? Un type dans mon genre... Quelques douzaines de mères et d'amoureuses, depuis Andromaque jusqu'à Griselda, m'ont rendu exigeant à l'égard de ces poupées incassables qui passent pour la réalité.

«Isolde pour maîtresse, et pour sœur la belle Aude... Oui, mais celle que j'aurais voulue pour mère est une toute petite fille de la légende albanaise, la femme d'un jeune roitelet[1] de par ici...

«Ils étaient trois frères, et ils travaillaient à construire une tour, d'où ils pussent guetter les pillards turcs. Ils s'étaient attelés eux-mêmes à l'ou-

---

1. Petit roi ou roi d'un petit pays.

vrage, soit que la main-d'œuvre fût rare, ou chère, ou qu'en bons paysans ils ne se fiassent qu'à leurs propres bras, et leurs femmes venaient tour à tour leur apporter à manger. Mais chaque fois qu'ils réussissaient à mener assez à bien leur travail pour placer un bouquet d'herbes sur la toiture, le vent de la nuit et les sorcières de la montagne renversaient leur tour comme Dieu fit crouler Babel. Il y a bien des raisons pour qu'une tour ne se tienne pas debout, et l'on peut inculper la maladresse des ouvriers, le mauvais vouloir du terrain, ou l'insuffisance du ciment qui lie les pierres. Mais les paysans serbes, albanais ou bulgares ne reconnaissent à ce désastre qu'une seule cause : ils savent qu'un édifice s'effondre si l'on n'a pas pris soin d'enfermer dans son soubassement un homme ou une femme dont le squelette soutiendra jusqu'au jour du Jugement Dernier cette pesante chair de pierres. À Arta, en Grèce, on montre ainsi un pont où fut emmurée une jeune fille : un peu de sa chevelure sort par une fissure et pend sur l'eau comme une plante blonde. Les trois frères commençaient à se regarder avec méfiance et prenaient soin de ne pas projeter leur ombre sur le mur inachevé, car on peut, faute de mieux, enfermer dans une bâtisse en construction ce noir prolongement de l'homme qui est peut-être son âme, et celui dont l'ombre est ainsi prisonnière meurt comme un malheureux atteint d'un chagrin d'amour.

« Le soir, chacun des trois frères s'asseyait donc le plus loin possible du feu, de peur que quelqu'un ne s'approche silencieusement par-derrière, ne jette un sac de toile sur son ombre et ne l'emporte à demi

étranglée, comme un pigeon noir. Leur ardeur au travail mollissait, et l'angoisse, et non plus la fatigue, bai-
gnait de sueur leurs fronts bruns. Un jour enfin, l'aîné
des frères réunit autour de lui ses cadets et leur dit :

« — Petits frères, frères par le sang, le lait et le
baptême, si notre tour reste inachevée, les Turcs se
glisseront de nouveau sur les berges de ce lac, dissimulés derrière les roseaux. Ils violeront nos filles de
ferme ; ils brûleront dans nos champs la promesse du
pain futur ; ils crucifieront nos paysans aux épouvan-
tails dressés dans nos vergers, et qui se transforme-
ront ainsi en appâts pour corbeaux. Mes petits frères,
nous avons besoin les uns des autres, et il n'est pas
question pour le trèfle de sacrifier une de ses trois
feuilles. Mais nous avons chacun une femme jeune et
vigoureuse, dont les épaules et la belle nuque sont
habituées à porter des fardeaux. Ne décidons rien,
mes frères : laissons le choix au Hasard, cet homme de
paille[1] de Dieu. Demain, à l'aube, nous saisirons pour
l'emmurer dans les fondations de la tour celle de nos
femmes qui viendra ce jour-là nous apporter à manger.
Je ne vous demande qu'un silence d'une nuit, ô mes
puînés[2], et n'embrassons pas avec trop de larmes et
de soupirs celle qui, après tout, a deux chances sur
trois de respirer encore au soleil couchant.

« Il lui était facile de parler ainsi, car il détestait en
secret sa jeune femme et voulait s'en débarrasser
pour prendre à sa place une belle fille grecque qui

---

1. Personne qui sert de prête-nom dans une affaire plus ou
moins honnête.
2. Cadets.

avait les cheveux roux. Le second frère n'éleva pas d'objections, car il comptait bien prévenir sa femme dès son retour, et le seul qui protesta fut le cadet, car il avait l'habitude de tenir ses serments. Attendri par la magnanimité de ses aînés, qui renonçaient en faveur de l'œuvre commune à ce qu'ils avaient de plus cher au monde, il finit par se laisser convaincre et promit de se taire toute la nuit.

« Ils rentrèrent au camp à cette heure du crépuscule où le fantôme de la lumière morte hante encore les champs. Le second frère gagna sa tente de fort méchante humeur et ordonna rudement à sa femme de l'aider à ôter ses bottes. Quand elle fut accroupie devant lui, il lui jeta ses chaussures en plein visage et déclara :

« — Voici huit jours que je porte la même chemise, et dimanche viendra sans que je puisse me parer de linge blanc. Maudite fainéante, demain, dès la pointe du jour, tu iras au lac avec ton panier de linge, et tu y resteras jusqu'à la nuit entre ta brosse et ton battoir. Si tu t'en éloignes de l'épaisseur d'une semelle, tu mourras.

« Et la jeune femme promit en tremblant de consacrer la journée du lendemain à la lessive.

« L'aîné rentra chez lui bien décidé à ne rien dire à sa ménagère dont les baisers l'excédaient, et dont il n'appréciait plus la pesante beauté. Mais il avait une faiblesse : il parlait en rêve. L'opulente matrone albanaise ne dormit pas cette nuit-là, car elle se demandait en quoi elle avait pu déplaire à son seigneur. Soudain elle entendit son mari grommeler en tirant à lui la couverture :

«— Cher cœur, cher petit cœur de moi-même, tu seras bientôt veuf... Comme on sera tranquille, séparé de la noiraude par les bonnes briques de la tour...

«Mais le cadet rentra dans sa tente, pâle et résigné comme un homme qui a rencontré sur la route la Mort elle-même, sa faulx sur l'épaule, s'en allant faire sa moisson. Il embrassa son enfant dans son berceau d'osier, il prit tendrement sa jeune femme dans ses bras et, toute la nuit, elle l'entendit pleurer contre son cœur. Mais la discrète jeune femme ne lui demanda pas la cause de ce grand chagrin, car elle ne voulait pas l'obliger à des confidences, et elle n'avait pas besoin de savoir quelles étaient ses peines pour essayer de les consoler.

«Le lendemain, les trois frères prirent leurs pioches et leurs marteaux et partirent dans la direction de la tour. La femme du second frère prépara son panier de linge et alla s'agenouiller devant la femme du frère aîné :

«— Sœur, dit-elle, chère sœur, c'est mon jour d'apporter à manger aux hommes, mais mon mari m'a ordonné sous peine de mort de laver ses chemises de toile blanche, et ma corbeille en est toute pleine.

«— Sœur, chère sœur, dit la femme du frère aîné, j'irais de grand cœur porter à manger à nos hommes, mais un démon s'est glissé cette nuit à l'intérieur d'une de mes dents... Hou, hou, hou, je ne suis bonne qu'à crier de douleur...

«Et elle frappa dans ses mains sans cérémonie pour appeler la femme du cadet :

« — Femme de notre frère cadet, dit-elle, chère petite femme du puîné, va-t'en à notre place porter à manger à nos hommes, car la route est longue, nos pieds sont las, et nous sommes moins jeunes et moins légères que toi. Va, chère petite, et nous remplirons ton panier de bonnes choses pour que nos hommes t'accueillent avec un sourire, Messagère qui leur ôteras leur faim.

« Et le panier fut rempli de poissons du lac confits dans le miel et les raisins de Corinthe, de riz enveloppé dans des feuilles de vigne, de fromage de brebis et de gâteaux aux amandes salées. La jeune femme remit tendrement son enfant entre les bras de ses deux belles-sœurs et s'en alla le long de la route, seule, avec son fardeau sur la tête, et son destin autour du cou comme une médaille bénite, invisible à tous, sur laquelle Dieu lui-même aurait inscrit à quel genre de mort elle était destinée, et à quelle place dans son ciel.

« Quand les trois hommes l'aperçurent de loin, petite figure encore indistincte, ils coururent à elle, les deux premiers inquiets du bon succès de leur stratagème, et le plus jeune priant Dieu. L'aîné ravala un blasphème en découvrant que ce n'était pas sa noiraude, et le second frère remercia le Seigneur à haute voix d'avoir épargné sa lavandière. Mais le cadet s'agenouilla, entourant de ses bras les hanches de la jeune femme, et en gémissant lui demanda pardon. Ensuite, il se traîna aux pieds de ses frères et les supplia d'avoir pitié. Enfin, il se releva et fit briller au soleil l'acier de son couteau. Un coup de marteau sur la nuque le jeta tout pantelant sur le bord du chemin.

La jeune femme épouvantée avait laissé choir son panier, et les victuailles dispersées allèrent réjouir les chiens du troupeau. Quand elle comprit de quoi il s'agissait, elle tendit les mains vers le ciel :

« — Frères à qui je n'ai jamais manqué, frères par l'anneau de noces et la bénédiction du prêtre, ne me faites pas mourir, mais prévenez plutôt mon père qui est chef de clan dans la montagne, et il vous procurera mille servantes que vous pourrez sacrifier. Ne me tuez pas : j'aime tant la vie. Ne mettez pas entre mon bien-aimé et moi l'épaisseur de la pierre.

« Mais brusquement elle se tut, car elle s'aperçut que son jeune mari étendu sur le bord de la route ne remuait pas les paupières, et que ses cheveux noirs étaient salis de cervelle et de sang. Alors, elle se laissa sans cris et sans larmes conduire par les deux frères jusqu'à la niche creusée dans la muraille ronde de la tour : puisqu'elle allait mourir elle-même, elle pouvait s'épargner de pleurer. Mais au moment où l'on posait la première brique devant ses pieds chaussés de sandales rouges, elle se souvint de son enfant qui avait l'habitude de mordiller ses souliers comme un jeune chien folâtre. Des larmes chaudes roulèrent le long de ses joues et vinrent se mêler au ciment que la truelle égalisait sur la pierre :

« — Hélas ! mes petits pieds, dit-elle. Vous ne me porterez plus jusqu'au sommet de la colline, afin de présenter plus tôt mon corps au regard de mon bien-aimé. Vous ne connaîtrez plus la fraîcheur de l'eau courante : seuls, les Anges vous laveront, le matin de la Résurrection.

« L'assemblage de briques et de pierres s'éleva jusqu'à ses genoux couverts d'un jupon doré. Toute droite au fond de sa niche, elle avait l'air d'une Marie debout derrière son autel.

« — Adieu, mes chers genoux, dit la jeune femme. Vous ne bercerez plus mon enfant ; assise sous le bel arbre du verger qui donne à la fois l'aliment et l'ombrage, je ne vous remplirai plus de fruits bons à manger.

« Le mur s'éleva un peu plus haut, et la jeune femme continua :

« — Adieu, mes chères petites mains, qui pendez le long de mon corps, mains qui ne cuirez plus le repas, mains qui ne tordrez plus la laine, mains qui ne vous nouerez plus autour du bien-aimé. Adieu mes hanches, et toi, mon ventre, qui ne connaîtrez plus l'enfantement ni l'amour. Petits enfants que j'aurais pu mettre au monde, petits frères que je n'ai pas eu le temps de donner à mon fils unique, vous me tiendrez compagnie dans cette prison qui me sert de tombe, et où je resterai debout, sans sommeil, jusqu'au jour du Jugement Dernier.

« Le mur de pierres atteignait déjà la poitrine. Alors, un frisson parcourut le haut du corps de la jeune femme, et ses yeux suppliants eurent un regard équivalant au geste de deux mains tendues.

« — Beaux-frères, dit-elle, par égard, non pour moi, mais pour votre frère mort, songez à mon enfant et ne le laissez pas mourir de faim. Ne murez pas ma poitrine, mes frères, mais que mes deux seins restent accessibles sous ma chemise brodée, et que tous les jours on m'apporte mon enfant, à l'aube, à midi et au crépuscule. Tant qu'il me restera quelques gouttes de vie, elles descendront jusqu'au bout de mes deux seins pour nourrir l'enfant que j'ai mis au monde, et le jour où je n'aurai plus de lait, il boira mon âme. Consentez, méchants frères, et si vous faites ainsi, mon cher mari et moi nous ne vous adresserons pas de reproches, le jour où nous vous rencontrerons chez Dieu.

«Les frères intimidés consentirent à satisfaire ce dernier vœu et ménagèrent un intervalle de deux briques à la hauteur des seins. Alors, la jeune femme murmura :

— Frères chéris, placez vos briques devant ma bouche, car les baisers des morts font peur aux vivants, mais laissez une fente devant mes yeux, afin que je puisse voir si mon lait profite à mon enfant.

«Ils firent comme elle l'avait dit, et une fente horizontale fut ménagée à la hauteur des yeux. Au crépuscule, à l'heure où sa mère avait coutume de l'allaiter, on apporta l'enfant le long de la route poussiéreuse, bordée d'arbustes bas broutés par les chèvres, et la suppliciée salua l'arrivée du nourrisson par des cris de joie et des bénédictions adressées aux deux frères. Des flots de lait coulèrent de ses seins durs et tièdes, et quand l'enfant fait de la même substance que son cœur se fut endormi contre sa poitrine, elle chanta d'une voix qu'amortissait l'épaisseur du mur de briques. Dès que son nourrisson se fut détaché du sein, elle ordonna qu'on le ramenât au campement pour dormir, mais toute la nuit la tendre mélopée [1] s'éleva sous les étoiles, et cette berceuse

---

1. Chant lent et monotone.

chantée à distance suffisait à l'empêcher de pleurer. Le lendemain, elle ne chantait plus, et ce fut d'une voix faible qu'elle demanda comment Vania avait passé la nuit. Le jour qui suivit, elle se tut, mais elle respirait encore, car ses seins habités par son haleine montaient et redescendaient imperceptiblement dans leur cage. Quelques jours plus tard, son souffle alla rejoindre sa voix, mais ses seins immobiles n'avaient rien perdu de leur douce abondance de sources, et l'enfant endormi au creux de sa poitrine entendait encore son cœur. Puis, ce cœur si bien accordé à la vie espaça ses battements. Ses yeux languissants s'éteignirent comme le reflet des étoiles dans une citerne sans eau, et l'on ne vit plus à travers la fente que deux prunelles vitreuses qui ne regardaient plus le ciel. Ces prunelles à leur tour se liquéfièrent et laissèrent place à deux orbites creuses au fond desquelles on apercevait la Mort, mais la jeune poitrine demeurait intacte et, pendant deux ans, à l'aurore, à midi et au crépuscule, le jaillissement miraculeux continua, jusqu'à ce que l'enfant sevré se détournât de lui-même du sein.

« Alors seulement, la gorge épuisée s'effrita et il n'y eut plus sur le rebord de briques qu'une pincée de cendres blanches. Pendant quelques siècles, les mères attendries vinrent suivre du doigt le long de la brique roussie les rigoles tracées par le lait merveilleux, puis la tour elle-même disparut, et le poids des voûtes cessa de s'appesantir sur ce léger squelette de femme. Enfin, les os fragiles eux-mêmes se dispersèrent, et il ne reste plus ici qu'un vieux Français grillé par cette chaleur d'enfer, qui rabâche au premier venu cette histoire digne d'inspirer aux poètes autant de larmes que celle d'Andromaque. »

À ce moment, une gitane couverte d'une crasse effroyable et dorée s'approcha de la table où s'accoudaient les deux hommes. Elle tenait entre ses bras un enfant, dont les yeux malades disparaissaient sous un bandage de loques. Elle se courba en deux, avec l'insolente servilité qui n'appartient qu'aux races misérables et royales, et ses jupons jaunes balayèrent la terre. L'ingénieur l'écarta rudement, sans se soucier de sa voix qui montait du ton de la prière à celui de la malédiction. L'Anglais la rappela pour lui faire l'aumône d'un dinar[1].

— Qu'est-ce qui vous prend, vieux rêveur ? dit-il avec impatience. Ses seins et ses colliers valent bien ceux de votre héroïne albanaise. Et l'enfant qui l'accompagne est aveugle.

— Je connais cette femme, répondit Jules Boutrin. Un médecin de Raguse m'a raconté son histoire. Voici des mois qu'elle applique sur les yeux de son enfant de dégoûtants emplâtres[2] qui lui enflamment la vue et apitoient les passants. Il y voit encore, mais il sera bientôt ce qu'elle souhaite qu'il soit : un aveugle. Cette femme aura alors son gagne-pain assuré, et pour toute la vie, car le soin d'un infirme est une profession lucrative. Il y a mères et mères.

---

1. Monnaie.
2. Préparation qui adhère à la peau.

L'homme qui a aimé
les Néréides

Il était debout, pieds nus, dans la poussière, la chaleur et les relents du port, sous la maigre tente d'un petit café où quelques clients s'étaient affalés sur des chaises, dans le vain espoir de se protéger du soleil. Son vieux pantalon roux descendait à peine jusqu'aux chevilles, et l'osselet pointu, l'arête du talon, les longues plantes calleuses[1] et tout excoriées[2], les doigts souples et tactiles appartenaient à cette race de pieds intelligents, accoutumés à tous les contacts de l'air et du sol, endurcis aux aspérités des pierres, qui gardent encore en pays méditerranéen à l'homme habillé un peu de la libre aisance de l'homme nu. Pieds agiles, si différents des supports gauches et lourds enfermés dans les souliers du Nord... Le bleu délavé de sa chemise s'harmonisait avec les tons du ciel déteint par la lumière de l'été ; ses épaules et ses omoplates perçaient par les déchirures de l'étoffe comme de maigres rochers ; ses oreilles un peu allongées encadraient obliquement son crâne à la façon

---

1. Dont la peau est durcie et épaissie.
2. Légèrement écorchées.

des anses d'une amphore; d'incontestables traces de
beauté se voyaient encore sur son visage hâve[1] et
vacant, comme l'affleurement sous un terrain ingrat
d'une statue antique brisée. Ses yeux de bête malade
se dissimulaient sans méfiance derrière des cils aussi
longs que ceux qui ourlent[2] la paupière des mules; il
tenait la main droite continuellement tendue, avec le
geste obstiné et importun des idoles[3] archaïques qui
semblent réclamer des visiteurs de musées l'aumône
de l'admiration, et des bêlements inarticulés sortaient
de sa bouche grande ouverte sur des dents éclatantes.

— Il est sourd-muet?

— Il n'est pas sourd.

Jean Démétriadis, le propriétaire des grandes
savonneries de l'île, profita d'un moment d'inatten-
tion où le regard vague de l'idiot se perdait du côté
de la mer, pour laisser tomber une drachme[4] sur la
dalle lisse. Le léger tintement à demi étouffé par une
fine couche de sable ne fut pas perdu pour le mendiant, qui ramassa goulûment la petite pièce de métal
blanc et reprit aussitôt sa station contemplative et
gémissante, comme une mouette au bord d'un quai.

— Il n'est pas sourd, répéta Jean Démétriadis en
reposant devant lui sa tasse à demi pleine d'une onc-
tueuse lie[5] noire. La parole et l'esprit lui ont été
retirés dans de telles conditions qu'il m'arrive de l'envier, moi l'homme raisonnable, l'homme riche, qui ne

---

1. Pâle et décharné.
2. Ici, bordent.
3. Figure, représentation d'une divinité qui fait l'objet d'un
culte d'adoration.
4. Monnaie.
5. Dépôt.

trouve si souvent que l'ennui et le vide sur ma route. Ce Panégyotis (il s'appelle ainsi) est devenu muet à dix-huit ans pour avoir rencontré les Néréides nues.

Un sourire timide se dessina sur les lèvres de Panégyotis, qui avait entendu prononcer son nom. Il ne semblait pas comprendre le sens des paroles de cet homme important en qui il reconnaissait vaguement un protecteur, mais le ton, et non les mots eux-mêmes, l'atteignait. Content de savoir qu'il s'agissait de lui et qu'il convenait peut-être d'espérer une nouvelle aumône, il avança imperceptiblement la main, avec le mouvement craintif du chien qui effleure de sa patte le genou de son maître, pour qu'on n'oublie pas de lui donner à manger.

— C'est le fils de l'un des paysans les plus aisés de mon village, reprit Jean Démétriadis, et, par exception chez nous, ces gens-là sont vraiment riches. Ses parents ont des champs à ne savoir qu'en faire, une bonne maison en pierre de taille, un verger avec plusieurs espèces de fruits, et dans le jardin des légumes, un réveille-matin dans la cuisine, une lampe allumée devant le mur des icônes, enfin tout ce qu'il faut. On pouvait dire de Panégyotis ce qu'on peut rarement dire d'un jeune Grec, qu'il avait devant lui son pain cuit, et pour toute la vie. On pouvait dire aussi qu'il avait devant lui sa route toute tracée, une route grecque, poussiéreuse, caillouteuse et monotone, mais avec çà et là des grillons qui chantent et des haltes pas trop désagréables aux portes des tavernes. Il aidait les vieilles femmes à gauler[1] les olives ; il sur-

---

1. Battre les branches d'un arbre avec une longue perche pour faire tomber les fruits.

veillait l'emballage des caisses de raisins et la pesée des ballots de laine ; dans les discussions avec les acheteurs de tabacs, il soutenait discrètement son père en crachant de dégoût à toute proposition qui ne dépassait pas le prix souhaité ; il était fiancé à la fille du vétérinaire, une gentille petite qui travaillait dans ma fabrique ; comme il était très beau, on lui prêtait autant de maîtresses qu'il y a dans le pays de filles qui aiment l'amour ; on a prétendu qu'il couchait avec la femme du prêtre ; si cela est, le prêtre ne lui en voulait pas, car il aimait peu les femmes et se désintéressait de la sienne, qui d'ailleurs s'offre à n'importe qui. Imaginez l'humble bonheur d'un Panégyotis ; l'amour des belles, l'envie des hommes et quelquefois leur désir, une montre en argent, tous les deux ou trois jours une chemise merveilleusement blanche repassée par sa mère, le pilaf[1] à midi et l'ouzo[2] glauque et parfumé avant le repas du soir. Mais le bonheur est fragile, et quand les hommes ou les circonstances ne le détruisent pas, il est menacé par les fantômes. Vous ne savez peut-être pas que notre île est peuplée de présences mystérieuses. Nos fantômes ne ressemblent pas à vos spectres du Nord, qui ne sortent qu'à minuit et logent le jour dans les cimetières. Ils négligent de se recouvrir de draps blancs, et leur squelette est recouvert de chair. Mais ils sont peut-être plus dangereux que les âmes des morts qui du moins ont été baptisés, ont connu la vie, ont su ce que c'était que de souffrir. Ces Néréides de

1. Riz au gras.
2. Boisson grecque, alcool parfumé à l'anis.

nos campagnes sont innocentes et mauvaises comme
la nature qui tantôt protège et tantôt détruit l'homme.
Les dieux et les déesses antiques sont bien morts, et
les musées ne contiennent que leurs cadavres de
marbre. Nos nymphes[1] ressemblent plus à vos fées
qu'à l'image que vous vous en faites d'après Praxi-
tèle[2]. Mais notre peuple croit à leurs pouvoirs ; elles
existent comme la terre, l'eau et le dangereux soleil.
En elles, la lumière de l'été se fait chair, et c'est pourquoi leur vue dispense le vertige et la stupeur. Elles
ne sortent qu'à l'heure tragique de midi ; elles sont
comme immergées dans le mystère du plein jour. Si
les paysans barricadent les portes de leurs maisons
avant de s'allonger pour la sieste, ce n'est pas contre
le soleil, c'est contre elles ; ces fées vraiment fatales
sont belles, nues, rafraîchissantes et néfastes comme
l'eau où l'on boit les germes de la fièvre ; ceux qui les
ont vues se consument doucement de langueur et de
désir ; ceux qui ont eu la hardiesse de les approcher
deviennent muets pour la vie, car il ne faut pas que
soient révélés au vulgaire les secrets de leur amour.
Or, un matin de juillet, deux des moutons du père de
Panégyotis se mirent à tourner. L'épidémie se propa-
gea rapidement aux plus belles têtes du troupeau, et
le carré de terre battue devant la maison se trans-
forma rapidement en cour d'asile pour bétail aliéné.
Panégyotis partit seul, en pleine chaleur, en plein
soleil, à la recherche du vétérinaire qui demeure sur

---

1. Déesses d'un rang inférieur, qui hantaient les bois, les montagnes, les fleuves, la mer, les rivières.
2. Sculpteur grec, IVe siècle avant J.-C.

l'autre versant du Mont Saint-Élie, dans un petit village blotti au bord de la mer. Au crépuscule, il n'était
pas encore de retour. L'inquiétude du père de Panégyotis se déplaça de ses moutons sur son fils; on
fouilla en vain la campagne et les vallées du voisinage;
toute la nuit, les femmes de la famille prièrent dans la
chapelle du village qui n'est qu'une grange éclairée
par deux douzaines de cierges, et où il semble à
chaque instant que Marie aille entrer pour mettre au
monde Jésus. Le lendemain soir, à l'heure de répit où
les hommes s'attablent sur la place du village devant
une minuscule tasse de café, un verre d'eau, ou une
cuillerée de confiture, on vit revenir un Panégyotis
nouveau, aussi transformé que s'il avait passé par la
mort. Ses yeux étincelaient, mais il semblait que le
blanc de l'œil et la pupille eussent dévoré l'iris; deux
mois de malaria[1] ne l'eussent pas jauni davantage; un
sourire un peu écœurant déformait ses lèvres dont
les paroles ne sortaient plus. Il n'était cependant pas
encore complètement muet. Des syllabes saccadées
s'échappaient de sa bouche comme les derniers gar-
gouillements d'une source qui meurt:

— Les Néréides… Les dames… Néréides…
Belles… Nues… C'est épatant… Blondes… Cheveux tout blonds…

Ce furent les seuls mots qu'on put tirer de lui. Plusieurs fois, dans les jours qui suivirent, on l'entendit
encore se répéter doucement à lui-même: «Cheveux blonds… Blonds», comme s'il caressait de la
soie. Puis ce fut tout. Ses yeux cessèrent de briller;

---

1. Maladie transmise à l'homme par les moustiques.

mais son regard devenu vague et fixe a acquis des propriétés singulières : il contemple le soleil sans ciller ; peut-être trouve-t-il du plaisir à considérer cet objet d'une blondeur éblouissante. J'étais au village pendant les premières semaines de son délire : pas de fièvre, aucun symptôme d'une insolation ou d'un accès. Ses parents l'ont conduit pour le faire exorciser dans un monastère célèbre du voisinage : il s'est laissé faire avec la douceur d'un mouton malade, mais ni les cérémonies de l'Église, ni les fumigations d'encens, ni les rites magiques des vieilles femmes du village n'ont pu chasser de son sang les folles nymphes couleur de soleil. Les premières journées de son nouvel état se passèrent en allées et venues incessantes : il retournait inlassablement à l'endroit où s'était passée l'apparition : il y a là une source où les pêcheurs viennent quelquefois se fournir d'eau douce, un vallon creux, un champ de figuiers d'où un sentier descend vers la mer. Les gens ont cru relever dans l'herbe maigre des traces légères de pieds féminins, des places foulées par le poids des corps. On imagine la scène : les trouées de soleil dans l'ombre des figuiers, qui n'est pas une ombre, mais une forme plus verte et plus douce de la lumière ; le jeune villageois alerté par des rires et des cris de femmes comme un chasseur par des bruits de coups d'ailes ; les divines jeunes filles levant leurs bras blancs où des poils blonds interceptent le soleil ; l'ombre d'une feuille se déplaçant sur un ventre nu ; un sein clair, dont la pointe se révèle rose et non pas violette ; les baisers de Panégyotis dévorant ces chevelures qui lui donnent l'impression de mâchonner du miel ; son désir se

perdant entre ces jambes blondes. De même qu'il n'y
a pas d'amour sans éblouissement du cœur, il n'y a
guère de volupté véritable sans émerveillement de la
beauté. Le reste n'est tout au plus que fonctionne-
ment machinal, comme la soif et la faim. Les Néréides
ont ouvert au jeune insensé l'accès d'un monde fémi-
nin aussi différent des filles de l'île que celles-ci le
sont des femelles du bétail ; elles lui ont apporté l'eni-
vrement de l'inconnu, l'épuisement du miracle, les
malignités[1] étincelantes du bonheur. On prétend qu'il
n'a jamais cessé de les rencontrer, aux heures chaudes
où ces beaux démons de midi rôdent en quête
d'amour ; il semble avoir oublié jusqu'au visage de sa
fiancée, dont il se détourne comme d'une guenon
dégoûtante ; il crache sur le passage de la femme du
pope[2], qui a pleuré deux mois avant de se consoler.
Les Nymphes l'ont abêti pour mieux le mêler à leurs
jeux, comme une espèce de faune innocent. Il ne travaille plus ; il ne s'inquiète plus ni des mois ni des
jours ; il s'est fait mendiant, de sorte qu'il mange
presque toujours à sa faim. Il vagabonde dans le pays,
évitant le plus possible les grandes routes ; il s'en-
fonce dans les champs et les bois de pins au creux
des collines désertes ; et on dit qu'une fleur de jasmin
posée sur un mur de pierres sèches, un caillou blanc
au pied d'un cyprès sont autant de messages où il
déchiffre l'heure et le lieu du prochain rendez-vous
des fées. Les paysans prétendent qu'il ne vieillira pas :
comme tous ceux qu'un mauvais sort a touchés, il se

---

1. Caractère d'une personne qui cherche à nuire à quelqu'un
de façon dissimulée et souvent mesquine.
2. Prêtre de l'Église orthodoxe.

fanera sans qu'on sache s'il a dix-huit ou quarante ans. Mais ses genoux tremblent, son esprit s'en est allé pour ne plus revenir, et la parole ne renaîtra plus jamais sur ses lèvres : Homère déjà savait qu'ils voient se consumer leur intelligence et leur force, ceux qui couchent avec les déesses d'or. Mais j'envie Panégyotis. Il est sorti du monde des faits pour entrer dans celui des illusions, et il m'arrive de penser que l'illusion est peut-être la forme que prennent aux yeux du vulgaire les plus secrètes réalités.

— Mais enfin, Jean, dit avec irritation madame Démétriadis, vous ne pensez pas que Panégyotis ait réellement aperçu les Néréides ?

Jean Démétriadis ne répondit pas, tout occupé qu'il était de se soulever à demi sur sa chaise pour rendre leur salut hautain à trois étrangères qui passaient. Ces trois jeunes Américaines bien prises dans des vêtements de toile blanche marchaient d'un pas souple sur le quai inondé de soleil, suivies d'un vieux portefaix qui pliait sous le poids de provisions achetées au marché ; et, comme trois petites filles au sortir de l'école, elles se tenaient par la main. L'une d'entre elles allait nu-tête, des brins de myrte [1] piqués dans sa chevelure rousse, mais la seconde portait un immense chapeau de paille mexicain, et la troisième était coiffée comme une paysanne d'un foulard de coton, et des lunettes de soleil aux verres noirs la protégeaient comme un masque. Ces trois jeunes femmes s'étaient établies dans l'île où elles avaient acheté une maison située loin des grandes routes :

---

1. Plante.

elles pêchaient la nuit au trident à bord de leur propre barque et chassaient la caille en automne ; elles ne frayaient avec personne et se servaient elles-mêmes, de peur d'introduire une ménagère dans l'intimité de leur existence, s'isolaient enfin farouchement pour éviter les médisances, leur préférant peut-être les calomnies. J'essayai vainement d'intercepter le regard que Panégyotis jetait sur ces trois déesses, mais ses yeux distraits restaient vagues et sans lueur : manifestement, il ne reconnaissait pas ses Néréides habillées en femmes. Soudain, il se pencha, d'un mouvement souple et comme animal, pour ramasser une nouvelle drachme tombée d'une de nos poches, et j'aperçus, pris dans les poils rudes de sa vareuse[1] qu'il portait suspendue à une épaule, agrafée à ses bretelles, le seul objet qui pût fournir à ma conviction une preuve impondérable : le fil soyeux, le mince fil, le fil égaré d'un cheveu blond.

---

1. Vêtement, veste.

Notre-Dame-
des-Hirondelles

Le moine Thérapion avait été dans sa jeunesse le disciple le plus fidèle du grand Athanase[1]; il était rude, austère, doux seulement envers les créatures en qui il ne soupçonnait pas la présence des démons. En Égypte, il avait ressuscité et évangélisé des momies; à Byzance, il avait confessé des empereurs; il était venu en Grèce sur la foi d'un songe, dans l'intention d'exorciser cette terre encore soumise aux sortilèges de Pan[2]. Il s'enflammait de haine à la vue des arbres sacrés où les paysans atteints de la fièvre suspendent des chiffons chargés de trembler à leur place au moindre souffle du soir, les phallus érigés dans les champs pour obliger le sol à porter des récoltes et les dieux d'argile nichés au creux des murs et dans la conque des sources. Il s'était bâti de ses propres mains une étroite cabane sur les berges du Céphise, en ayant soin de n'employer que des matériaux bénits. Les paysans partageaient avec lui leurs maigres aliments, mais, bien que ces gens fussent hâves, blêmes

---

1. Patriarche d'Alexandrie, père de l'Église grecque.
2. Dieu des bergers et des troupeaux.

et découragés par les famines et les guerres qui
avaient fondu sur eux, Thérapion ne parvenait pas à
les tourner du côté du ciel. Ils adoraient Jésus, le fils
de Marie, vêtu d'or comme un soleil levant, mais leur
cœur obstiné restait fidèle aux divinités qui nichent
dans les arbres ou émergent du bouillonnement des
eaux ; chaque soir, ils déposaient sous le platane
consacré aux Nymphes une écuelle de lait de la seule
chèvre qui leur restât ; les garçons se glissaient à midi
sous les bouquets d'arbres pour épier ces femmes
aux yeux d'onyx[1] qui se nourrissent de thym et de
miel. Elles pullulaient partout, filles de cette terre dure
et sèche où ce qui ailleurs se dissipe en buée prend
aussitôt figure et substance de réalité. On retrouvait
la trace de leurs pas dans la glaise des fontaines, et la
blancheur de leurs corps se confondait de loin avec le
miroitement des rochers. Il arrivait même qu'une
Nymphe mutilée survécût encore dans la poutre mal
rabotée qui soutenait un toit, et, la nuit, on l'entendait se plaindre ou chanter. Presque chaque jour, du
bétail charmé se perdait dans la montagne, et l'on ne
retrouvait que des mois plus tard un petit tas d'osse-
ments. Les Malignes prenaient les enfants par la main
et les emmenaient danser au bord des précipices ;
leurs pieds légers ne touchaient pas terre, mais le
gouffre happait les lourds petits corps. Ou bien, un
jeune garçon lancé sur leur piste redescendait hors
d'haleine, grelottant de fièvre, ayant bu la mort avec
l'eau d'une source. Après chaque désastre, le moine
Thérapion montrait le poing aux bois où se cachaient

---

1. Variété de pierre.

les Maudites, mais les villageois continuaient à chérir ces fraîches fées à demi invisibles, et ils leur pardonnaient leurs méfaits comme on pardonne au soleil qui désagrège la cervelle des fous, à la lune qui suce le lait des mères endormies, et à l'amour qui fait tant souffrir.

Le moine les craignait comme une bande de louves, et elles l'inquiétaient comme un troupeau de prostituées. Jamais ces fantasques belles ne le laissaient en paix : la nuit, il sentait sur son visage leur souffle chaud comme celui d'une bête à demi apprivoisée qui rôde timidement dans une chambre. S'il s'aventurait à travers la campagne muni du viatique [1] pour un malade, il entendait résonner sur ses talons leur trot capricieux et saccadé de jeunes chèvres ; s'il lui arrivait, en dépit de ses efforts, de s'endormir à l'heure de la prière, elles venaient innocemment lui tirer la barbe. Elles n'essayaient pas de le séduire, car elles le trouvaient laid, comique et très vieux dans ses épais vêtements de bure [2] brune, et malgré leur beauté elles n'éveillaient en lui aucun désir impur, car leur nudité lui répugnait comme la chair pâle de la chenille ou le derme lisse des couleuvres. Elles l'induisaient pourtant en tentation, car il finissait par douter de la sagesse de Dieu, qui a façonné tant de créatures inutiles et nuisibles, comme si la création n'était qu'un jeu malfaisant auquel Il se complaît. Un matin, les villageois trouvèrent leur moine occupé à scier le platane des Nymphes, et ils s'affligèrent doublement, car d'une part ils craignaient la vengeance des fées, qui s'en

---

1. Communion portée à un mourant.
2. Étoffe de laine.

iraient emportant avec elles les sources, et d'autre part ce platane ombrageait la place où ils avaient coutume de se réunir pour danser. Mais ils ne firent pas de reproches au saint homme, de peur de se brouiller avec le Père qui est au ciel, et qui dispense la pluie et le soleil. Ils se turent, et les projets du moine Thérapion contre les Nymphes furent encouragés par ce silence.

Il ne sortait plus qu'avec deux silex dissimulés dans le pli de sa manche, et le soir, subrepticement, lorsqu'il n'apercevait aucun paysan dans la campagne déserte, il mettait le feu à un vieil olivier dont le tronc carié lui paraissait receler des déesses, ou à un jeune pin écailleux dont la résine versait des pleurs d'or. Une forme nue s'échappait du feuillage et courait rejoindre ses compagnes, immobiles au loin comme des biches effarouchées, et le saint moine se réjouissait d'avoir détruit un des repaires du Mal. Partout, il plantait des croix, et les jeunes bêtes divines s'écartaient, fuyaient l'ombre de cette espèce de gibet[1] sublime, laissant autour du village sanctifié une zone toujours plus vaste de silence et de solitude. Mais la lutte se poursuivait pied à pied sur les premières pentes de la montagne, qui se défendait à l'aide de ronces épineuses et de chutes de pierres, et d'où il est plus difficile de chasser les dieux. Enfin, encerclées par la prière et par le feu, amaigries par l'absence d'offrandes, privées d'amour depuis que les jeunes gens du village commençaient à se détourner d'elles, les Nymphes cherchèrent refuge dans un vallon désert,

---

1. Potence.

où quelques pins tout noirs plantés dans le sol argileux faisaient penser à de grands oiseaux ramassant dans leurs fortes serres la terre rouge et remuant dans le ciel les mille pointes fines de leurs plumes d'aigle. Les sources qui suintaient là sous des tas de pierres informes étaient trop froides pour attirer les lavandières et les bergers. Une grotte se creusait à mi-flanc d'une colline, et on n'y accédait que par une embouchure juste assez large pour livrer passage à un corps. De tout temps, les Nymphes s'y étaient réfugiées par les soirs où l'orage troublait leurs jeux, car elles craignaient le tonnerre, comme toutes les bêtes des bois, et c'était là aussi qu'elles dormaient pendant les nuits sans lune. De jeunes pâtres prétendaient s'être glissés dans cette caverne au péril de leur salut et de la vigueur de leur jeunesse, et ils ne tarissaient pas au sujet de ces doux corps à demi visibles dans les fraîches ténèbres et de ces chevelures plus devinées que palpées. Pour le moine Thérapion, cette grotte dissimulée dans le flanc du rocher était comme un cancer enfoncé dans son propre sein, et debout au seuil de la vallée, les bras levés, immobile durant des heures entières, il priait le ciel de l'aider à détruire ces dangereux restes de la race des dieux.

Peu après Pâques, le moine réunit un soir les plus fidèles ou les plus rudes de ses ouailles[1]; il les arma de pioches et de lanternes; il se munit d'un crucifix et il les guida à travers le dédale de collines, dans les molles ténèbres pleines de sève, anxieux de mettre à

_____

1. Les fidèles.

profit cette nuit noire. Le moine Thérapion s'arrêta sur
le seuil de la grotte, et il ne permit pas à ses disciples
d'y pénétrer, de peur qu'ils ne fussent tentés. Dans
l'ombre opaque, on entendait glousser les sources.
Un faible bruit palpitait, doux comme la brise dans les
pinèdes ; c'était la respiration des Nymphes endormies, qui rêvaient de la jeunesse du monde, du temps
où l'homme n'existait pas encore, et où la terre n'en-
fantait que les arbres, les bêtes et les dieux. Les paysans allumèrent un grand feu, mais il fallut renoncer à
brûler le rocher ; le moine leur ordonna de gâcher du
plâtre, de charrier des pierres. Aux premières lueurs
de l'aube, ils avaient commencé la construction d'une
petite chapelle accolée au flanc de la colline, devant
l'embouchure de la grotte maudite. Les murs n'étaient
pas secs, le toit n'était pas encore posé, et la porte
manquait, mais le moine Thérapion savait que les
Nymphes ne tenteraient pas de s'échapper au travers
de ce lieu saint, que déjà il avait consacré et béni.
Pour plus de sûreté, il avait planté au fond de la chapelle, à l'endroit où s'ouvrait la bouche du rocher, un
grand Christ peint sur une croix à quatre bras égaux,
et les Nymphes qui ne comprennent que les sourires
reculaient d'horreur devant cette image du Supplicié.
Les premiers rayons du soleil s'allongeaient timidement jusqu'au seuil de la caverne : c'était l'heure où
les malheureuses avaient coutume de sortir, pour
prendre sur les feuilles des arbres voisins leur premier repas de rosée ; les captives sanglotaient, sup-
pliaient le moine de leur venir en aide et dans leur
innocence, s'il consentait à leur permettre de fuir, lui
promettaient de l'aimer. Toute la journée, les travaux

se poursuivirent, et, jusqu'au soir, on vit des pleurs
tomber de la pierre, on entendit des toux et des cris
rauques pareils aux plaintes des bêtes blessées. Le
jour suivant, on posa le toit, et on l'orna d'un bouquet de fleurs ; on ajusta la porte, et l'on fit tourner
dans la serrure une grosse clef de fer. Cette nuit-là,
les paysans fatigués redescendirent au village, mais le
moine Thérapion coucha près de la chapelle qu'il
avait élevée, et toute la nuit les plaintes de ses prisonnières l'empêchèrent délicieusement de dormir. Il
était compatissant, néanmoins, car il s'attendrissait
sur un ver foulé aux pieds, ou sur une tige de fleur
rompue par le frôlement de son froc[1], mais il était
pareil à un homme qui se réjouit d'avoir emmuré
entre deux briques un nid de jeunes vipères.

Le lendemain, les paysans apportèrent du lait de
chaux, ils badigeonnèrent le dedans et le dehors de la
chapelle, qui prit alors l'aspect d'une blanche colombe
blottie sur le sein du rocher. Deux villageois moins
peureux que les autres s'aventurèrent dans la grotte
pour blanchir ses parois humides et poreuses, afin
que l'eau des sources et le miel des abeilles cessent
de suinter à l'intérieur du bel antre et de soutenir la
vie défaillante des femmes fées. Les Nymphes affai-
blies n'avaient plus la force nécessaire pour se mani-
fester aux humains ; à peine, çà et là, se devinaient
vaguement dans la pénombre une jeune bouche
contractée, deux frêles mains suppliantes, ou la pâle
rose d'un sein. Ou, de temps à autre, en promenant
sur les aspérités du rocher leurs gros doigts blanchis

---

1. En religion, habit de moine.

par la chaux, les paysans sentaient fuir une chevelure souple et tremblante comme ces capillaires qui poussent dans les endroits humides et abandonnés. Le corps défait des Nymphes se décomposait en buée, ou s'apprêtait à tomber en poussière comme les ailes d'un papillon mort ; elles gémissaient toujours, mais il fallait prêter l'oreille pour écouter ces faibles plaintes ; ce n'était déjà plus que des âmes de Nymphes qui pleuraient.

Toute la nuit suivante, le moine Thérapion continua de monter sa garde de prière au seuil de la chapelle, comme un anachorète[1] dans le désert. Il se réjouissait de penser qu'avant la nouvelle lune les plaintes auraient cessé, et que les Nymphes mortes de faim ne seraient plus qu'un impur souvenir. Il priait pour hâter cet instant où la mort délivrerait ses prisonnières, car il commençait bien malgré lui à les plaindre, et il s'en voulait de cette honteuse faiblesse. Personne ne montait plus jusqu'à lui ; le village lui semblait aussi éloigné que s'il avait été situé sur l'autre rebord du monde ; il n'apercevait sur le versant opposé de la vallée que de la terre rouge, des pins, et un sentier à demi caché sous les aiguilles d'or. Il n'entendait que ces râles qui allaient diminuant toujours, et le son de plus en plus enroué de ses propres prières.

Au soir de ce jour-là, il vit sur le sentier une femme qui venait vers lui. Elle marchait la tête basse, un peu voûtée ; son manteau et son écharpe étaient

---

1. Religieux qui mène, retiré dans la solitude, une vie de sobriété et de contemplation.

noirs, mais une lueur mystérieuse se faisait jour à travers cette étoffe obscure, comme si elle avait jeté la
nuit sur le matin. Bien qu'elle fût très jeune, elle avait
la gravité, la lenteur, la dignité d'une très vieille femme,
et sa suavité était pareille à celle de la grappe mûrie
et de la fleur embaumée. En passant devant la chapelle, elle regarda attentivement le moine, qui en fut
dérangé dans ses oraisons.

— Ce sentier ne conduit nulle part, femme, lui dit-
il. D'où viens-tu ?

— De l'Est, comme le matin, dit la jeune femme.
Et que fais-tu ici, vieux moine ?

— J'ai muré dans cette grotte les Nymphes qui
infestaient encore la contrée, dit le moine, et devant
l'ouverture de l'antre, j'ai bâti une chapelle, qu'elles
n'osent pas traverser pour fuir, car elles sont nues, et
à leur manière elles craignent Dieu. J'attends qu'elles
meurent de faim et de froid dans leur caverne, et
quand ce sera fait, la paix de Dieu régnera sur les
champs.

— Qui te dit que la paix de Dieu ne s'étend pas
aux Nymphes comme aux biches et aux troupeaux
de chèvres ? répondit la jeune femme. Ne sais-tu pas
qu'au temps de la création Dieu oublia de donner des
ailes à certains anges, qui tombèrent sur la terre et
s'établirent dans les bois, où ils formèrent la race des
Nymphes et des Pans ? Et d'autres s'installèrent sur
une montagne, où ils devinrent des dieux olympiens.
N'exalte pas, comme les païens[1], la créature aux
dépens du Créateur, mais ne sois pas non plus scan-

---

1. Ici, personne qui ne croit en aucun dieu.

dalisé par Son œuvre. Et remercie Dieu dans ton cœur, pour avoir créé Diane[1] et Apollon[2].

— Mon esprit ne s'élève pas si haut, dit humblement le vieux moine. Les Nymphes troublent mes ouailles et mettent en danger leur salut, dont je suis responsable devant Dieu, et c'est pourquoi je les poursuivrai s'il le faut, jusqu'en Enfer.

— Et ce zèle te sera compté, honnête moine, dit en souriant la jeune femme. Mais n'aperçois-tu pas un moyen de concilier la vie des Nymphes et le salut de tes ouailles ?

Sa voix était douce comme une musique de flûtes. Le moine inquiet baissa la tête. La jeune femme lui posa la main sur l'épaule et lui dit gravement :

— Moine, laisse-moi entrer dans cette grotte. J'aime les grottes, et j'ai pitié de ceux qui y cherchent refuge. C'est dans une grotte que j'ai mis au monde mon enfant, et c'est dans une grotte que je l'ai confié sans crainte à la mort, afin qu'il subisse la seconde naissance de la Résurrection.

L'anachorète s'écarta pour la laisser passer. Sans hésiter elle se dirigea vers l'entrée de la caverne, dissimulée derrière l'autel. La grande croix en barrait le seuil ; elle l'écarta doucement comme un objet familier, et elle se glissa dans l'antre.

On entendit dans les ténèbres des gémissements plus aigus, des pépiements et des espèces de froissements d'ailes. La jeune femme parlait aux Nymphes en une langue inconnue, qui était peut-être celle des

---

1. Déesse de la Nature sauvage et de la Chasse.
2. Dieu de la Beauté, de la Lumière, des Arts et de la Divination.

oiseaux ou des anges. Au bout d'un instant, elle repa-
rut au côté du moine, qui n'avait pas cessé de prier.

— Regarde, moine, dit-elle, et écoute.

D'innombrables petits cris stridents sortaient de
dessous son manteau. Elle en écarta les pans, et le
moine Thérapion vit qu'elle portait dans les plis de sa
robe des centaines de jeunes hirondelles. Elle ouvrit
largement les bras, comme une femme en prière, et
donna ainsi la volée aux oiseaux. Puis elle dit, et sa
voix était claire comme le son d'une harpe :

— Allez, mes enfants.

Les hirondelles délivrées filèrent dans le ciel du
soir, dessinant du bec et de l'aile d'indéchiffrables
signes. Le vieillard et la jeune femme les suivirent un
instant du regard, puis la voyageuse dit au solitaire :

— Elles reviendront chaque année, et tu leur don-
neras asile dans mon église. Adieu, Thérapion.

Et Marie s'en alla par le sentier qui ne menait nulle
part, en femme à qui il importe peu que les chemins
finissent, puisqu'elle sait le moyen de marcher dans le
ciel. Le moine Thérapion descendit au village, et, le
lendemain, quand il remonta célébrer la Messe, la
grotte des Nymphes était tapissée de nids d'hirondelles. Elles revinrent chaque année ; elles allaient et
venaient dans l'église, occupées à nourrir leurs petits
ou à consolider leurs maisons d'argile, et souvent le
moine Thérapion s'interrompait dans ses prières pour
suivre avec attendrissement leurs amours et leurs
jeux, car ce qui est interdit aux Nymphes est permis
aux hirondelles.

Du tableau

au texte

Agnès Verlet

Du tableau au texte

Orphée
de Gustave Moreau

… les lettrés trouvent une terre chargée d'histoire, de mythes, d'images…

Pendant tout le XIXᵉ siècle les artistes et les écrivains se prennent d'une véritable passion pour l'Orient qui, à cette époque, inclut tout le pourtour méditerranéen, excédant les limites de l'ancien empire byzantin et de sa capitale, Constantinople. Dans cet empire que domina longtemps la figure légendaire d'Alexandre le Grand, le roi de Macédoine qui étendit les limites de la Grèce jusqu'à l'Inde, les lettrés trouvent une terre chargée d'histoire, de mythes, d'images : l'Égypte, la Grèce, la Syrie, la Palestine, la Turquie attirent les voyageurs qui cherchent dans ces lieux exotiques la terre où s'est inscrite l'histoire de l'Occident chrétien. François-René de Chateaubriand est un des premiers écrivains à entreprendre ce voyage en Grèce et en Terre sainte « pour y chercher des images », et à faire le récit de ce périple dans l'*Itinéraire de Paris à Jérusalem* (1812). À sa suite, Gérard de Nerval, Alphonse de Lamartine, Gustave Flaubert rapportent de leur voyage des récits qui mêlent les souvenirs réels aux souvenirs littéraires : ainsi se crée un imaginaire oriental que chaque voyageur construit avec sa culture antique et biblique, autant qu'avec ses propres visions, en un ailleurs idéalisé. L'Orient, longtemps considéré comme « barbare », est magnifié par des artistes qui recherchent de la couleur, des contrastes, du pittoresque, mais aussi un autre mode de vie, et d'autres valeurs. Comme l'affirme Victor Hugo, en 1829, dans sa préface aux *Orientales* : « Tout le continent penche à l'Orient. Nous verrons de grandes choses. La vieille barbarie asiatique n'est peut-être pas aussi dépourvue d'hommes supérieurs que notre civilisation le veut croire. »

Mais si certains peintres, comme Eugène Delacroix ou Eugène Fromentin, et certains écrivains comme Gustave Flaubert ou Pierre Loti trouvent effectivement dans leurs voyages la matière de leur œuvre, d'autres développent un imaginaire oriental sans sortir de chez eux : les écrivains Charles Baudelaire, ou Joris-Karl Huysmans, le peintre Gustave Moreau sont en quelque sorte des anti-voyageurs. L'orientalisme est pour eux une culture, une passion, une esthétique, et ils accomplissent des « voyages d'atelier » au lieu de voyages réels. Moreau est peut-être celui qui a poussé le plus loin cette aventure artistique de l'orientalisme « littéraire ». Grand amateur de littérature, il avait, dit-on, une bibliothèque de 1600 volumes, et lisait des textes antiques, bibliques et classiques, mais aussi des auteurs contemporains, Baudelaire ou Flaubert. Certains de ses tableaux s'inspirent librement de figures mythiques, comme celui-ci qui évoque un épisode de la légende d'Orphée.

... si cette tête n'était celle d'un homme décapité...

Dans un paysage désolé, au crépuscule, une jeune fille au teint pâle, vêtue d'une longue robe sombre, regarde mélancoliquement un visage d'homme, qu'elle tient serré contre son ventre. Des fleurs aux pétales blancs ont poussé sur cette terre aride. Trois bergers, sur un rocher, jouent de la flûte. Ce pourrait être une scène amoureuse, dans un cadre bucolique, et la jeune femme contemplerait le visage endormi de celui qu'elle aime, si cette tête n'était celle d'un homme décapité : la tête n'appartient à aucun corps, elle a été posée sur le cadre rouge et orné d'un instrument de musique maintenant sans cordes, une lyre. La jeune fille semble scruter, interroger les yeux clos d'un mort dont il ne lui reste que cette relique : une tête coupée. La scène représentée apparaît alors sous un autre jour, comme la fin tragique d'un drame, la navrante conclusion d'un combat violent qui a fait une victime, cet homme, dont le corps a été saccagé. La campagne paraît désormais sauvage, le paysage aride plutôt inhospitalier, les rochers menaçants, la lumière blafarde, les fleurs à peine écloses vouées au dessèchement : dans ce face-à-face de deux visages, la mort a fait irruption, arrachant brutalement la vie à un être, ne laissant à sa compagne qu'un souvenir. Le regard que la femme pose sur ce visage est triste et douloureux, interrogateur ou méditatif, peut-être. Telle est l'ambivalence qui frappe le spectateur à la première lecture du tableau : deux êtres dans un échange intense qui pourrait être amoureux, et la mort, dans sa crudité et sa cruauté.

De fait, ce tableau n'est pas une simple scène bucolique, ni une scène de genre. D'assez grandes dimensions (155 × 99,5 cm), c'est une peinture d'histoire, à sujet mythologique. La tête coupée est celle d'Orphée, comme le précise le titre, poète mythique de l'antiquité grecque, qui par sa poésie et le chant de sa lyre, avait le pouvoir de dompter les bêtes fauves, et d'apaiser les hommes les plus redoutables. C'est cet enchanteur qui fut amoureux de la nymphe Eurydice mais eut la douleur de la perdre quand elle mourut, mordue par un serpent. Son désespoir le conduisit dans les Enfers où il supplia le dieu Hadès de lui laisser ramener Eurydice à la lumière. Mais il ne respecta pas l'ordre que lui avait intimé le dieu, et se retourna pour voir si celle qu'il aimait le suivait toujours : elle disparut à nouveau pour jamais dans les ténèbres. Si les poètes comme Virgile ou Ovide sont tous d'accord sur l'histoire d'Orphée et Eurydice, la mort d'Orphée a suscité de multiples interprétations. Certaines légendes rapportent qu'Orphée, désespéré, errait en solitaire dans les plaines de Thrace, et qu'il resta insensible à toute sollicitation féminine, après la disparition d'Eurydice, s'abandonnant à son chagrin, refusant toutes les avances amoureuses. De dépit, les femmes ignorées massacrèrent et déchirèrent sauvagement son corps avant d'en jeter les morceaux dans un fleuve. Une femme de Thrace, émue par le destin du poète, recueillit ce qui restait de lui, sa tête et sa lyre, qui, au-delà de la mort, continuaient à chanter sa plainte. C'est cet épisode qui est évoqué ici.

... mêlant savamment l'érotisme et la mort, la beauté et l'horreur...

Dans tous ses tableaux d'inspiration antique, Moreau représente un orientalisme fascinant par ses contrastes et son excès : architectures colossales, liberté des corps, profusion des couleurs et de l'ornementation, raffinement des plaisirs sensuels. La crudité de la tête décapitée contraste avec la douceur attendrie de la femme. Flaubert, dans *Salammbô*, avait poussé à l'extrême cette esthétique de l'excès, en exacerbant les contrastes entre des scènes de guerre et des scènes d'amour, en mêlant savamment l'érotisme et la mort, la beauté et l'horreur. Dans la peinture symboliste de Moreau, très proche de l'univers esthétique de Baudelaire et de Flaubert (et s'appuyant comme eux sur une tradition romantique), Éros et Thanatos ont partie liée, comme si tout amour contenait déjà sa fin. Cette cruelle collusion de la vie et de la mort est signifiée dans le tableau par l'horizontalité du visage d'Orphée (le mort est un gisant), en opposition avec la verticalité un peu hiératique de la femme qui, telle une prêtresse, a pieusement recueilli ses restes. La mélancolie de la scène est accentuée par la pose de la jeune femme, la douce inclinaison de sa nuque et de son visage, soulignées par le décentrement du couple vers la gauche : le corps de la fille, absorbée dans la contemplation du mort, est tourné vers la gauche, vers le passé, peut-être, ou la partie sombre du tableau, à contresens de la lecture occidentale. Quant au visage d'Orphée, les yeux clos, il semble dormir, dormir ou mourir, rêver, peut-être.

Mais au-delà de cette douceur, la violence de la décapitation est mise en évidence par le rouge du bois de la lyre, et les jeux d'ombre et de lumière. Dans d'autres tableaux, Moreau, dans le sillage de Delacroix, et de son œuvre si célèbre, *La Mort de Sardanapale*, a pratiqué de tels contrastes. La morbidité du peintre d'*Orphée* est plus insidieuse que celle de Delacroix, parce qu'elle est moins réaliste. Dans un autre tableau à sujet biblique, Moreau représente ainsi une jeune fille, Salomé, la fille d'Hérodiade, qui danse devant le roi Hérode, assis sur un trône somptueux. En récompense, elle demande au roi la tête de Jean-Baptiste, et c'est cette tête sans corps qui apparaît face à elle, nimbée de lumière. Les écrivains prêtaient ainsi aux Orientaux une morale de l'excès, un raffinement dans les plaisirs, dont la cruauté n'était pas le moindre. Mais chez Moreau, cette ambivalence est atténuée par le traitement de la lumière : le tableau est partagé verticalement entre une partie sombre à gauche, et une partie lumineuse à droite. Dans la zone sombre pourtant, les deux visages sont d'une luminosité extrême. De même, tout l'arrière-plan du tableau est lumineux, comme si le soleil se couchait à l'horizon, et cette luminosité s'harmonise avec l'obscurité du centre. Le jeu entre lumière et ombre s'appelle le clair-obscur : il fut poussé à l'extrême par un peintre italien, le Caravage, et on appelle caravagisme cette technique des contrastes. Moreau, plus symboliste que caravagiste, passe subtilement et délicatement de l'ombre à la lumière, sans faire de démarcation nette entre les deux univers.

… la figure du poète que son intégrité distingue et isole…

Pourtant, si l'ombre représente un certain obscurantisme, c'est précisément cette barbarie que le poète Orphée, initiateur d'une religion nouvelle (l'orphisme), a voulu faire reculer. Le peintre Gustave Moreau a souvent illustré ce thème orientalisant de la culture aux prises avec des mœurs primitives. Ainsi, dans un tableau de 1852, dont le sujet était tiré de la fin de l'*Odyssée*, au moment où Ulysse, enfin de retour à Ithaque, chasse de son palais les prétendants qui avaient imposé leur présence à Pénélope, son épouse. Dans l'esprit de l'orientalisme de Chassériau, au début du siècle, avec les *Romains de la décadence*, Moreau représente l'architecture monumentale d'un immense palais, devant laquelle agonise une mêlée de corps nus, ceux des prétendants qui se livraient à la débauche, et tentaient de séduire Pénélope. Le personnage d'Ulysse rengainant son épée est celui d'un poète romantique ou d'un barde médiéval, tandis que la femme, Pénélope, nimbée de la gloire que lui donne sa vertu, s'élève au-dessus du carnage, auréolée de rayons. Ulysse est la figure du poète que son intégrité distingue et isole, à l'image de la « Grèce seule au milieu des civilisations barbares ». Dans les nouvelles de Marguerite Yourcenar, elle-même passionnée par une poésie grecque ancienne et moderne, qu'elle a beaucoup lue et même traduite, le poète ou l'artiste est souvent un individu que la société envie mais rejette. Wang-Fô est en butte à la haine du prince qui s'estime trompé parce que le monde représenté par le peintre est tellement différent de la réalité que l'art lui semble un mensonge.

Moreau, comme Huysmans qui comprenait si bien son œuvre, est très proche de Baudelaire, pour qui le poète est voué à la malédiction faute d'être compris. C'est dans cet esprit qu'il choisit un moment particulier de la légende d'Orphée, qui n'est pas le plus connu mais le plus dramatique, auquel il confère une valeur symbolique. Le peintre qui notait souvent ses réflexions à propos de son travail, décrit ainsi le tableau : « Une jeune fille recueille pieusement la tête d'Orphée et sa lyre portée sur les eaux de l'Hèbre aux rivages de Thrace. » Dans cette triste fin, telle que la représente le tableau, Orphée est le poète (symbolisé ici par la lyre) mis à mal par la barbarie. La Thrace, au nord de la Grèce, est une région montagneuse au climat rude, qui a toujours été considérée comme plus sauvage : elle contraste avec la culture grecque de l'Attique. Orphée est fils des Muses et, après sa mort, il deviendra une constellation et siégera au côté d'Apollon, dieu de la lumière, de l'intelligence, de la poésie. Le tableau représente donc symboliquement la mort de la poésie et de la culture dans un pays sauvage où le poète incompris est livré à la violence populaire.

... les plis de sa longue tunique, ses pieds nus, son profil...

Mais malgré cette esthétique des contrastes, l'orientalisme de Moreau n'a pas la violence de celui d'un Delacroix. Son imaginaire s'est construit dans les livres et la fréquentation des peintres, particulièrement à la suite d'un séjour d'étude à Rome, de 1857 à 1859. Sa formation académique, son goût pour la mythologie, et sa grande culture classique prennent vie au contact de l'Italie. À son retour, il a pour objectif de faire de la peinture d'histoire, en renouvelant l'iconographie des sujets antiques : avec *Œdipe et le sphinx*, en 1864, il redonne un souffle à ce genre pictural, qui était le plus noble au début du siècle, mais décline sous le Second Empire, où triomphe la peinture réaliste. Cette œuvre, où Œdipe figure nu, assailli par un sphinx ailé au visage de femme, fut appréciée du public. Dans ce tableau comme dans celui d'Orphée, le face-à-face entre les deux personnages est d'une grande intensité, qui passe par l'échange de regards.

La jeune femme de notre tableau a le visage, la pose d'une statue grecque, d'une Koré, jeune fille présentant des offrandes, telle qu'on en trouve dans la statuaire grecque classique, de même les plis de sa longue tunique, ses pieds nus, son profil. Le raffinement tout oriental de sa coiffure tressée, des broderies et ornements de sa robe, des fleurs sur le buste, de l'étole rouge et or qui lui ceint le corps et se noue sous sa poitrine, contrastent avec la rusticité des bergers et l'âpreté du paysage. La technique picturale de Moreau accentue la complexité de cette figure féminine composite. La précision technique apparaît également dans la lyre du poète, finement sculptée et ornée, qui sert de cadre, de support ou d'auréole à cette tête, sauvagement arrachée. Le peintre, très soucieux du détail, attache un grand soin au dessin, à la précision du trait, au point que son travail pictural semble fait d'emprunts à toutes sortes de pratiques artistiques, comme a su l'analyser l'écrivain Huysmans à propos de Salomé : «En sus de l'extrême importance que M. Gustave Moreau donne à l'archéologie dans son œuvre, les méthodes qu'il emploie pour rendre ses rêves visibles paraissent empruntées aux procédés de la vieille gravure allemande, à la céramique et à la joaillerie ; il y a de tout là-dedans, de la mosaïque, de la nielle, du point d'Alençon, de la broderie patiente des anciens âges et cela tient aussi de l'enluminure des vieux missels, et des aquarelles barbares de l'antique Orient. »

… les images de l'Inde se superposent à celles de la Grèce…

Moreau, qui a découvert l'orientalisme et ses couleurs dans la littérature et la peinture, l'associe à un certain classicisme qui lui vient de sa culture et de sa formation. Au cours de son voyage en Italie, il a beaucoup copié les maîtres de la Renaissance et de l'époque classique. À Léonard de Vinci, il emprunte l'idée qu'un paysage est toujours intérieur, une *cosa mentale,* chez Raphaël il trouve la pureté de tel visage de femme. Le peintre Poussin, qui a longtemps vécu à Rome, lui apprend la lumière dans les ruines, et un certain jeu entre la mythologie et la vie, le Caravage lui transmet les contrastes entre les ombres et la lumière. C'est à Rome, la Ville éternelle et la Ville des arts, où se superposent les civilisations et les cultures, que Moreau, fasciné par l'Orient où il n'est jamais allé, s'est forgé un imaginaire oriental. Son orientalisme est fait d'un mélange entre diverses traditions culturelles : antique et moderne, grecque et biblique, classique et romantique, hellénique et barbare.

Un tel orientalisme ne correspond pas à une aire géographique précise, ni à une époque déterminée : il englobe la Grèce, l'Asie Mineure, une partie de l'Asie. Comme chez Marguerite Yourcenar, il est syncrétique, et quand il s'agit de la Grèce, c'est une Grèce classique mais aussi thrace, macédonienne, toute cette région des Balkans et du Proche-Orient qui fascina tellement le roi Alexandre le Grand que, de conquête en conquête, il voulut étendre les limites de la Grèce, jusqu'à l'Inde. Gustave Moreau a d'ailleurs fait un étrange tableau carré (155 × 155 cm) représentant le *Triomphe d'Alexandre*, où l'on voit le roi de Macédoine, impérieux, perché en haut d'un trône immense, d'où il domine le cortège de personnages minuscules, les rois soumis et leur peuple, tandis que le paysage est comme écrasé par un temple colossal qui semble relier la terre et le ciel. Dans ce tableau, où les images de l'Inde se superposent à celles de la Grèce, le peintre écrit que « l'âme de la Grèce rayonnante et superbe triomphe au loin dans les régions inexplorées du mystère et du rêve ».

… les poètes ne meurent pas tout à fait…

Mais c'est peut-être l'éternité de la poésie et de l'art, qui, comme dans les nouvelles de Marguerite Yourcenar, a le dernier mot. Car si la jeune femme médite « pieusement » sur le destin du poète incompris, sur la mort de la poésie et la victoire de la barbarie, sa piété mélancolique est aussi une interrogation sur la vie au-delà de la mort : ainsi s'engage un dialogue muet entre deux êtres que ne sépare pas vraiment la mort. Les deux tortues, qui mar-

chent en sens contraire (comme se croisent les
visages d'Orphée et de la femme) sont des symboles
d'éternité. Éternité de l'amour, mais aussi de la poésie, puisque c'est dans une carapace de tortue qu'est
faite la lyre. Par ce double symbolisme, le peintre
veut montrer que les poètes ne meurent pas tout à
fait.

En fait, si on regarde bien le tableau, on constate
que malgré la violence de la scène, la lumière cré-
pusculaire est douce, le fleuve à droite, l'Hèbre
peut-être, est calme et sinueux, les reliefs sont peu
escarpés. Même les rochers sans arêtes aiguës sont
des lieux de retraite agréables pour les pâtres musiciens. L'arcade harmonieuse que traverse la lumière
semble une architecture naturelle. En cette heure
du soir où le soleil couchant colore le ciel d'or,
d'ocre et de rouge, une certaine paix semble régner
dans la nature, une certaine harmonie entre les
hommes.

Cet orientalisme complexe, à la fois littéraire et
onirique, a ému les poètes, les symbolistes, Stéphane
Mallarmé, Marcel Proust, et les surréalistes, André
Breton, en particulier, qui réunissait son groupe
d'amis dans l'atelier de Moreau. Dans ses « Notes sur
le monde mystérieux de Gustave Moreau », écrites
après la mort du peintre, Proust conclut, à propos de
ce tableau d'Orphée, dans des termes qui vaudraient
pour le peintre comme pour l'écrivain : « […] nous
voyons dans cette tête d'Orphée quelque chose qui
nous regarde, la pensée de Gustave Moreau sur cette
toile qui nous regarde de ses beaux yeux d'aveugle
que sont les couleurs pensées.

Le peintre nous regarde, nous n'osons pas dire
qu'il nous voit. Et sans doute en effet, il ne nous voit

pas, mais nous, si chers que nous lui fussions, nous étions si peu de chose pour lui. Sa vision continue d'être vue, elle est devant nous, cela est tout ce qu'il faut. »

Le texte

_____

en perspective

Pierre-Louis Fort

Vie littéraire

La fascination de l'Orient

QU'EST-CE QUE L'ORIENT? Étymologiquement, le mot vient du latin *oriens* («qui se lève, qui surgit») et nous renvoie, poétiquement, du côté de l'horizon où le soleil apparaît au petit matin, c'est-à-dire à l'est. Ainsi, quand on parle de «l'Orient», on fait généralement référence aux régions qui sont situées à l'est de la partie occidentale de l'Europe : l'Asie et, parfois, certains pays du bassin méditerranéen ou de l'Europe centrale.

Cet espace se caractérise donc non seulement par son immensité mais aussi par une certaine imprécision géographique, si bien qu'il est parfois difficile de dire ce qu'on désigne exactement sous ce vocable. Mais ce flou référentiel est peut-être un des atouts du mot puisqu'il nous évoque spontanément un *ailleurs*, des terres lointaines et étrangères qui peuvent nous faire rêver et réfléchir.

1.

La littérature et l'Orient

1. *Le voyage en Orient : Marco Polo et quelques autres*

Un des voyages en Orient les plus célèbres est vraisemblablement celui de Marco Polo, au XIIIᵉ siècle. En compagnie de son père et de son oncle, le jeune homme de seize ans quitte Venise en 1265 pour arriver à Pékin en 1275. Il y restera dix-sept ans et ne reviendra en Italie qu'en 1295. Quelques années après, en 1298, alors qu'il est emprisonné pendant la guerre contre Gênes, Marco Polo raconte ses souvenirs de voyage à un compagnon d'infortune, le romancier Rusticien de Pise. Passionné par ce qu'il entend, ce dernier les rassemble et rédige, en français, *Le Livre de Marco Polo*. Cet ouvrage, dans lequel sont notées les découvertes, les surprises et les « merveilles » rencontrées, sera publié sous différents titres (*Le Devisement du monde, Le Livre des merveilles...*) et connaîtra un très grand succès. Des descriptions telles que celle du « Palais d'hiver de Pékin » sont, en effet, plutôt fascinantes :

> Les murs du palais et les chambres sont tout couverts d'or et d'argent. De plus, y sont dessinés des dragons, des bêtes, des oiseaux, des chevaliers et les images de plusieurs autres sortes de choses. Et le toit est ainsi fait uniquement d'or, d'argent et de peinture. La salle en est si grande et si large qu'il y mangerait bien six mille personnes. Il y a tant de chambres que c'est merveilleux à voir. Il est si grand, si beau et si riche, qu'il n'y a homme au monde qui sût le concevoir mieux.

D'autres écrivains rapportent des récits de voyages faisant référence à l'Orient. Parmi les plus connus, on peut citer de nombreux auteurs du XIXᵉ siècle : Alphonse de Lamartine écrit un *Voyage en Orient* en 1835, tout comme Gérard de Nerval, en 1851. Mais leur Orient diffère de celui de Marco Polo, puisque le premier, en l'espace de deux ans, s'était rendu en Sardaigne, à Malte, à Athènes, à Rhodes, au Liban, à Istanbul, en Syrie et en Bulgarie, et le deuxième à Malte, en Égypte, en Syrie et en Turquie. Pas de Chine ni d'Inde chez eux. L'essentiel, à leurs yeux, est moins dans la réalité géographique que dans la rêverie suscitée par l'évocation de « l'Orient ». Nerval notera d'ailleurs : « l'Orient n'approche pas de ce rêve éveillé que j'en avais fait il y a deux ans, ou bien c'est que cet Orient-là est encore plus loin ou plus haut, j'en ai assez de courir après la poésie » (lettre à J. Janin du 16 novembre 1848). L'Orient ne serait-il, fondamentalement, qu'un *ailleurs* toujours renouvelé ?

2. *La passion pour l'Orient : importance du XVIIIᵉ siècle*

De même qu'on parle de « matière de Bretagne » pour évoquer certains textes du Moyen Âge qui s'inspirent du fonds de légendes et de contes transmis oralement par les populations celtiques, on parle parfois de « matière d'Orient » pour référer à tout ce qui a trait aux représentations, aux idées et aux images ayant partie liée à l'Orient.

En ce qui concerne cette « matière d'Orient », le XVIIIᵉ siècle français est une période très importante. C'est en effet au tout début du siècle, en 1704, que le lectorat français découvre une œuvre majeure, *Les Mille et Une Nuits*, traduite par Antoine Galland.

Alors qu'au XVIIe siècle, le domaine de l'Orient était plutôt limité aux régions du Proche-Orient (c'est le cas, par exemple, dans la tragédie *Bajazet* de Racine ou dans *Le Bourgeois gentilhomme* de Molière avec la scène comique de la « cérémonie turque »), ce domaine s'élargit et couvre de nouveau une étendue qui nous conduit jusqu'en Asie en passant par la Perse et l'Inde. Voltaire publie ainsi l'*Essai sur les mœurs* et l'*Esprit des nations* en 1756, où l'on trouve une des premières tentatives globales d'analyse des sociétés asiatiques, et Guillaume Raynal écrit une *Histoire des Deux Indes* (1770).

À cette période, les plus grands auteurs français se servent de l'Orient comme toile de fond dans différents genres : pour des contes philosophiques (Voltaire : *Zadig ou la Destinée, histoire orientale*, 1748) ou bien pour des écrits érotiques (*Le Sopha*, 1742, de Crébillon). L'Orient est un puissant moteur d'écriture. Et comment ne pas évoquer, dans cette perspective, les fameuses *Lettres persanes* (1721) où, sous couvert d'un échange de lettres entre deux Persans, Rica et Usbek, Montesquieu peut faire une satire des mœurs, de la société et des institutions de son temps ? Le passage suivant, extrait d'une lettre portant sur les « caprices de la mode », illustre cette dimension. Rica y aborde la question des « coiffures » :

> Quelquefois les coiffures montent insensiblement, et une révolution les fait descendre tout à coup. Il a été un temps où leur hauteur immense mettait le visage d'une femme au milieu d'elle-même. Dans un autre, c'étaient les pieds qui occupaient cette place, car les talons faisaient un piédestal qui les

tenait en l'air. Qui pourrait le croire? Les archi-
tectes ont été souvent obligés de hausser, de baisser
et d'élargir leurs portes, selon que les parures des
femmes exigeaient d'eux ce changement, et les
règles de leur art ont été asservies à ces caprices.

3. *L'Orient, toujours et encore:* XIXe, *XXe siècle*

Dans les siècles suivants, l'Orient continue à fasci-
ner et attirer les écrivains. Cet «ailleurs» reste
toujours promesse de rêve, d'enchantement, de surprise... Outre les récits de voyages mentionnés précédemment, il y a au XIXe siècle une autre manière
d'engouement pour l'Orient, connue sous le nom
d'«orientalisme». Il s'agit d'un courant artistique et
littéraire qui dépeint le bassin méditerranéen et le
Moyen-Orient dans leurs divers aspects : s'y sont illus-
trés des artistes comme Eugène Delacroix et Domi-
nique Ingres, ou des écrivains comme Chateaubriand
avec son *Itinéraire de Paris à Jérusalem* (1811) et Victor
Hugo (qui n'ira jamais en Orient!) avec ses *Orientales* (1829).

Au XXe siècle, cet engouement pour l'Orient per-
dure. Pour ne citer que quelques figures majeures,
relevant de genres différents, on pourrait mention-
ner Paul Claudel qui compose *Connaissance de l'Est*
(1900), Victor Segalen, auteur de *René Leys* (1921)
et de *Stèles* (1912), ou encore André Malraux et *La
Condition humaine* (1933) ainsi que Pierre Loti et *Les
Derniers Jours de Pékin* (1902).

Bibliographie

François-René de CHATEAUBRIAND, *Itinéraire de Paris à Jérusalem*, Gallimard, « Folio classique », n° 4136. Édition de Jean-Claude Berchet.

Paul CLAUDEL, *Connaissance de l'Est*, Mercure de France. Édition de Gilbert Gadoffre.

Victor HUGO, *Les Orientales*, Gallimard, « Poésie/Gallimard ».

Alphonse de LAMARTINE, *Le Voyage en Orient*, Champion.

Les Mille et Une Nuits, Gallimard, « La bibliothèque Gallimard », n° 161. Édition de Hélène Tronc.

Pierre LOTI, *Les Derniers Jours de Pékin*, Balland.

André MALRAUX, *La Condition humaine*, Gallimard, « Folio plus ». Édition d'Yves Ansel.

MONTESQUIEU, *Lettres persanes*, Gallimard, « Folioplus classiques », n° 56. Édition d'Alain Sandrier.

Gérard de NERVAL, *Voyage en Orient*, Gallimard, « Folio classique », n° 3060. Édition de Jean Guillaume et Claude Pichois.

Marco POLO, *Le Devisement du monde*, Gallimard, « La bibliothèque Gallimard », n° 1. Édition de Violette d'Aignan.

Victor SEGALEN, *René Leys*, Gallimard, « Folio classique », n° 3319. Édition de Sophie Labatut.

— *Stèles*, Le Livre de poche.

VOLTAIRE, *Zadig*, Gallimard, « Folio classique », n° 3244. Édition de Frédéric Deloffre avec la collaboration de Jacqueline Hellegouarc'h, préface et notes de Jacques Van den Heuvel.

2.

L'Orient de Marguerite Yourcenar

1. *De l'Extrême-Orient...*

Marguerite Yourcenar a été attirée assez jeune par l'Orient. Elle est âgée d'une vingtaine d'années seulement lorsqu'elle découvre pour la première fois des traductions de textes de l'Inde et de l'Extrême-Orient. Impressionnée et inspirée, elle écrit alors « Kâli décapitée », qui paraît en 1928, « mince produit de ce premier contact » avec l'Asie selon ses propres dires.

À partir de ce moment-là, l'intérêt de Yourcenar pour l'Orient, ses écrivains, ses mythes, ses systèmes de pensée et de valeurs ne s'éteindra jamais. L'auteure écrit des essais sur des thèmes liés à l'Orient. En 1955, par exemple, elle publie *Sur quelques thèmes érotiques et mystiques de la Gita-Govinda* et en 1981 elle rédige *Mishima ou la Vision du vide*, « fruit de quelques années de lecture de l'œuvre du grand écrivain japonais et de la littérature japonaise en général ». Marguerite Yourcenar va même jusqu'à s'atteler à la traduction des *Cinq Nô modernes* de Mishima avec Jun Shiragi (publiés en 1984).

Mais, plus que ces réalisations ponctuelles, c'est en fait toute l'œuvre de Marguerite Yourcenar qui est inspirée par la pensée orientale. Lors d'un entretien, elle dit qu'elle « reste profondément attachée à la connaissance bouddhique » et que la sagesse taoïste est « pareille à une eau limpide, tantôt claire, tantôt sombre, sous laquelle se décèle l'arrière-fond des choses ». Elle explique aussi :

> La pensée orientale propose un certain nombre de
> notions et d'exercices qui permettent d'entrer pro-
> fondément dans la nature des choses, d'éliminer
> l'insignifiant. Par la méditation, la concentration.

2. ... jusqu'à la Grèce et les Balkans

Mais l'Orient de Marguerite Yourcenar commence dès la Grèce : «après tout, la Grèce et les
Balkans, c'est déjà l'Orient», assure-t-elle. La Grèce ?
Marguerite Yourcenar connaît très bien ce pays où
elle voyage beaucoup et séjourne longuement entre
1934 et 1938. Elle s'y lie avec Andreas Embirikos, un
ami avec qui elle voyage entre 1933 et 1936, période
à laquelle elle a d'ailleurs écrit les *Nouvelles orientales*.

> Le livre a été écrit durant les années où je me ren-
> dais beaucoup en Grèce, souvent par la route des
> Balkans ; des étapes que j'ai faites là-bas provien-
> nent ces contes balkaniques.

3. *Le vaste Orient des* Nouvelles orien-
tales

Lorsque paraissent les *Nouvelles orientales*, Marguerite Yourcenar présente le volume en disant qu'il
contient des «récits à sujets anecdotiques ou légen-
daires, pris à la Grèce contemporaine ou Byzantine,
aux Balkans, et çà et là à l'Asie». L'Orient de Marguerite Yourcenar commence donc bel et bien avec
la Grèce et les Balkans et s'étend jusqu'en Extrême-
Orient. En fait, ce qui compte pour l'auteure, dans
le choix de l'adjectif «oriental» est moins une dési-
gnation référentielle précise qu'un espace littéraire
propice à l'imagination et à la fantasmagorie.

Si l'on souhaite cependant les circonscrire, on peut dire que les *Nouvelles orientales* vont se déployer dans trois espaces : l'Extrême-Orient, le Moyen-Orient et... l'Europe ! Une des nouvelles du recueil se passe en effet aux Pays-Bas (« La tristesse de Cornélius Berg »). Concernant les textes qui ont été retenus dans cette édition (un choix de quatre nouvelles sur la dizaine que comporte l'édition complète), on retrouve la Chine avec « Comment Wang-Fô fut sauvé », les Balkans avec « Le lait de la mort », ainsi que la Grèce avec « L'homme qui a aimé les Néréides » et « Notre-Dame-des-Hirondelles ».

Bibliographie

Claude SERVAN-SCHREIBER, « L'ordre des choses de Marguerite Yourcenar », in *Marguerite Yourcenar, Portrait d'une voix*, Gallimard, « Les cahiers de la NRF ». Édition de Maurice Delcroix.

Marguerite YOURCENAR, *Nouvelles orientales*, Gallimard, « L'imaginaire ».

— *Œuvres romanesques*, Gallimard, « Bibliothèque de la Pléiade ».

— *Les Yeux ouverts, Entretiens avec Mathieu Galey*, Bayard, 1980.

L'écrivain
à sa table de travail

Marguerite Yourcenar
et la nouvelle

MARGUERITE YOURCENAR fut un écrivain pro-
lifique : ses textes, rassemblés dans la prestigieuse
collection de la Pléiade, n'occupent pas moins de
deux gros volumes qui, au total, comptent plus de
3 000 pages. Et encore, tous les écrits n'y sont pas
rassemblés !

Quand on regarde plus précisément l'ensemble
de cette œuvre conséquente, on voit que Marguerite
Yourcenar s'est illustrée dans la plupart des genres.
Elle a écrit des poèmes, des pièces de théâtre, des
essais, des romans (comment ne pas citer les *Mémoires
d'Hadrien* de 1951 ou *L'Œuvre au Noir* de 1968 ?),
une vaste autobiographie (*Le Labyrinthe du monde :
Souvenirs pieux, Archives du Nord, Quoi ? L'Éternité*)
et... des nouvelles bien sûr. Outre les *Nouvelles orientales*, on peut signaler *La Mort conduit l'attelage* (1935)
ou encore *Comme l'eau qui coule* (1981).

1.

L'aventure du recueil

1. *Remaniements*

Les *Nouvelles orientales*, écrites entre 1928 et 1978, ont été publiées pour la première fois en 1938. Auparavant les textes avaient paru dans des revues. Non sans une légère pointe de malice (elle suggère que c'est le lecteur qui souhaite avoir ces renseignements), Yourcenar revient sur cette genèse dans le « Post-scriptum » de l'édition finale du texte : « Rappelons pour les amateurs de bibliographie que *Wang-Fô* [avait paru] dans *La Revue de Paris* en 1936 […], *Le lait de la mort* dans *Les Nouvelles littéraires* et *L'homme qui a aimé les Néréides* dans *La Revue de France.* »

Le recueil de nouvelles, tel qu'il a été édité la première fois, a par la suite subi des remaniements. Marguerite Yourcenar a de fait prêté une grande attention à ses *Nouvelles orientales*. Après la publication en 1938 dans la collection « Renaissance de la nouvelle » (dirigée par Paul Morand), elle a préparé une autre édition en 1963, toujours chez Gallimard, puis une autre en 1975 (pour la collection « Blanche »), et une dernière, enfin, en 1978 pour la collection « L'imaginaire » (qui demeure aujourd'hui l'édition de référence). Dans le « Post-scriptum » de cette ultime édition, Marguerite Yourcenar minimise les changements apportés : « Cette réimpression des *Nouvelles orientales,* en dépit de très nombreuses corrections de pur style, les laisse en substance ce qu'elles étaient lorsqu'elles parurent pour la première fois. » Mais l'auteure n'en concède pas moins avoir supprimé un texte « décidément trop malvenu pour mériter des retouches » et avoir réécrit la conclusion du récit intitulé « Kâli décapitée ». Marguerite Yourcenar retravaillait effectivement beaucoup ses textes et veillait énormément à la réception de son œuvre. Nulle surprise, pour ses fidèles lecteurs, de la voir en train de peaufiner ainsi son recueil.

2. *Composition*

Le recueil est composé de dix histoires : « Comment Wang-Fô fut sauvé », « Le sourire de Marko », « Le lait de la mort », « Le dernier amour du prince Genghi », « L'homme qui a aimé les Néréides », « Notre-Dame-des-Hirondelles », « La veuve Aphrodissia », « Kâli décapitée », « La fin de Marko Kraliévitch » et « La tristesse de Cornélius Berg ». Comme expliqué précédemment, on peut les répartir selon les lieux où elles se déroulent : Extrême-Orient (« Comment Wang-Fô fut sauvé » en est un exemple des plus fameux), Grèce et Balkans (c'est le cas des trois autres nouvelles retenues dans l'édition que vous tenez en main) et Europe (un seul texte, un peu à part, « La tristesse de Cornélius Berg »).

Dans le « Post-scriptum », Marguerite Yourcenar donne ses sources pour chacune des nouvelles. Elle explique que « "Comment Wang-Fô fut sauvé" s'inspire d'un apologue taoïste de la vieille Chine », que « "Le lait de la mort" provient de ballades balkaniques du Moyen Âge », que « "L'homme qui a aimé les Néréides" a pour point de départ des faits divers ou des superstitions » grecques et que « "Notre-Dame-des-Hirondelles" est une fantaisie personnelle

de l'auteur, née du désir d'expliquer le nom charmant d'une petite chapelle dans la campagne
attique ».

Un apologue ? une ballade ? une fantaisie personnelle ? Dans quelle mesure l'identité générique pos-
tulée dans le titre est-elle vérifiée ? Les *Nouvelles
orientales* sont-elles vraiment des « nouvelles » ?

2.

Une incertitude générique
Contes ou nouvelles : comment décider ?

La nouvelle peut être définie comme un récit
court, offrant un nombre restreint de personnages. On peut déterminer trois critères qui la régis-
sent. Le premier est le suivant : elle se caractérise
généralement par une intrigue assez simple que l'on
peut résumer rapidement. La deuxième est liée à sa
brièveté : l'action doit être resserrée et le récit doit
commencer rapidement. La troisième est en liaison
avec sa fin : la nouvelle se doit, habituellement,
d'avoir une fin surprenante, qu'on peut appeler la
« chute ».

Tout serait donc simple si Marguerite Yourcenar
elle-même ne semait le doute en déclarant, à propos
de son recueil : « le titre *Contes et nouvelles* eût peut-
être convenu davantage à la matière variée dont
[…] se compose [le recueil] ».

Le conte et la nouvelle sont en fait deux genres
assez proches l'un de l'autre et il est parfois difficile
de les distinguer : si, en principe, la nouvelle s'appuie sur le monde réel (il lui arrive de s'en écarter

comme dans la nouvelle fantastique ou les nouvelles de science-fiction), le conte se situe davantage dans un monde irréel, dans un univers merveilleux même. Or force est de constater, si on ne se réfère qu'à cette question de l'antagonisme entre réel et irréel, que «Comment Wang-Fô fut sauvé» ou encore «Notre-Dame-des-Hirondelles» relèvent davantage du conte que de la nouvelle. Dans la première, en effet, le peintre Wang-Fô semble doué de pouvoirs merveilleux («on disait que Wang-Fô avait le pouvoir de donner vie à ses peintures par une dernière touche de couleur qu'il ajoutait à leurs yeux»), Ling revient alors qu'il était mort («la tête de Ling se détacha de sa nuque, pareille à une fleur coupée») et le vieil homme finit par s'enfuir avec son disciple à l'intérieur du tableau qu'il achevait («le peintre Wang-Fô et son disciple Ling disparurent à jamais sur cette mer de jade bleu que Wang-Fô venait d'inventer»). Quant à la deuxième, elle est entièrement articulée autour de ces «divinités qui nichent dans les arbres ou émergent du bouillonnement des eaux», les Nymphes.

Les deux autres nouvelles sélectionnées dans notre recueil pourraient ressortir également du merveilleux, avec la présence d'autres nymphes (les Néréides) dans le cas de «L'homme qui a aimé les Néréides» et avec cette femme emmurée qui nourrit son bébé pendant deux ans dans «Le lait de la mort»:

> Ces prunelles à leur tour se liquéfièrent et laissèrent place à deux orbites creuses au fond desquelles on apercevait la Mort, mais la jeune poitrine demeurait intacte et, pendant deux ans, à l'aurore, à midi et au crépuscule, le jaillissement miraculeux continua.

Mais cette dimension, dans le cas du «Lait de la mort», est atténuée puisque le récit est proposé comme une croyance légendaire dès le début («racontez-moi une autre histoire, vieil ami, dit Philip […]. L'histoire la plus belle et la moins vraie possible») et l'on peut hésiter, dans le cas des Néréides, au moment de la chute, entre une explication rationnelle et une explication irrationnelle, ce qui nous renvoie à la nouvelle fantastique.

3.

Quelques techniques du récit

Quelle que soit, finalement, la catégorie dans laquelle on décide de ranger les *Nouvelles orientales*, force est de constater que Marguerite Yourcenar sait jouer avec efficacité des ressources textuelles. Nous allons en évoquer rapidement quelques-unes.

On peut par exemple parler de l'utilisation des récits emboîtés que l'on trouve dans deux des nouvelles ici réunies : «L'homme qui aima les Néréides» et «Le lait de la mort». Dans «Le lait de la mort», la nouvelle commence par la présentation de deux personnages, Philip Mild et l'ingénieur Jules Boutrin. C'est ce dernier qui raconte, sur la demande de son compagnon de cabine, «l'histoire la plus belle et la moins vraie possible». On quitte alors le monde du récit encadrant pour s'immerger dans le monde du récit encadré, là où se passent les événements merveilleux. Ce système des récits enchâssés se retrouve également dans «L'homme qui aima les Néréides», à la différence qu'on y trouve un protagoniste commun aux deux mondes : Panégyotis.

Outre cette technique du récit enchâssé qui est typique de la nouvelle et qu'on trouvait déjà chez Boccace (*Le Décaméron*, 1348-1353) et chez Marguerite de Navarre (*L'Heptaméron*, 1542-1549), on peut observer dans la plupart des textes, un schéma narratif très clair. Prenons «Comment Wang-Fô fut sauvé», l'une des nouvelles phares du recueil. On y distingue toutes les étapes du schéma narratif. On retrouve ainsi une situation initiale (le vieux peintre Wang-Fô et Ling, son disciple, voyageant sur les routes chinoises), un élément perturbateur (ils sont arrêtés par les soldats de l'Empereur), des péripéties (dangers croissants, mort de Ling), des éléments de résolution (l'apparition de la barque) et la situation finale (l'échappée dans le tableau).

Bien que courtes, les nouvelles de Marguerite Yourcenar n'en sont pas moins riches. Qu'est-ce qui leur donne cette profondeur et cette épaisseur? Si les techniques rappelées ci-dessus y participent, on peut en ajouter d'autres. Pour donner de la profondeur, Marguerite Yourcenar s'appuie par exemple sur des récits rétrospectifs : c'est le cas dans «Comment Wang-Fô fut sauvé». On y retrouve tout un passage consacré à la vie de Ling et un autre centré sur la vie de l'Empereur. La narratrice cède d'ailleurs la parole à l'Empereur sur plusieurs pages.

Un autre moyen de donner de l'ampleur aux textes est de convoquer des références littéraires et mythiques : les nymphes dans «L'homme qui a aimé les Néréides» et «Notre-Dame-des-Hirondelles», mais aussi Andromaque, Aude, Griselda dans «Le lait de la mort». Notons également celles qui sont suggérées, comme Charon (pour la barque), Orphée (pour le retour du royaume des morts) et

Pygmalion (pour la vie donnée à la peinture) dans
«Comment Wang-Fô fut sauvé». Et l'on trouve
même des allusions bibliques avec Marie dans
«Notre-Dame-des-Hirondelles».

Enfin, comment ne pas évoquer les titres choisis
par l'auteure qui permettent d'emblée de susciter la
curiosité du lecteur? Certains jouent sur un suspense qui va durer tout le long du texte : c'est le
cas dans «Notre-Dame-des-Hirondelles», où le titre
ne se comprend qu'avec le dénouement de la nouvelle («le lendemain, quand il remonta célébrer la
Messe, la grotte des nymphes était tapissée de nids
d'hirondelles»), tout comme dans «Le lait de la
mort» où il faut, là aussi, attendre la chute pour comprendre que la jeune femme emmurée vainc la mort
pour nourrir son enfant jusqu'à ce qu'il soit sevré.
Quant aux deux autres titres, ils sont porteurs d'emblée d'un programme narratif et ce n'est pas tant
la fin qui est mise en question que le déroulement
même de l'histoire : «Comment Wang-Fô fut sauvé»
suggère d'emblée l'issue positive et «L'homme qui
a aimé les Néréides» annonce immédiatement le
thème de la nouvelle. Mais le suspense demeure
pour chacune de la façon suivante : qu'est-il arrivé à
l'homme qui a aimé les Néréides? et de quelle façon
Wang-Fô fut-il sauvé?

Il faudrait terminer ce rapide tour d'horizon en
rappelant que la multiplication des échos théma-
tiques entre les textes participe également de cette
luxuriance. De grands thèmes comme le sacrifice
(celui de Ling, celui de la bonne mère), l'amour
(sous toutes ses formes : filial, maternel ou charnel),
les femmes (généreuses ou tentatrices), la mort (de
Ling et de sa femme, de la mère qui allaite, des

nymphes), mais aussi la renaissance, animent le recueil d'un puissant mouvement et permettent des échos renvoyant les nouvelles les unes aux autres.

Les textes de Marguerite Yourcenar sont ainsi d'une richesse inversement proportionnelle à leur brièveté. Ils invitent au voyage et à la réflexion. Ils le font d'ailleurs aussi bien en français que dans de très nombreuses autres langues : leur succès fut tel que le recueil a été publié en anglais, en allemand, en serbo-croate, en grec, en polonais, en néerlandais, en espagnol, en italien, en portugais, en suédois et en japonais ! Ajoutons à cela le destin particulier de « Comment Wang-Fô fut sauvé » dont l'auteure a adapté le texte pour les enfants et qui a connu plusieurs éditions illustrées par Georges Lemoine dans des séries spécialement destinées au jeune public. Vous le voyez, avec les *Nouvelles orientales*, Marguerite Yourcenar a su toucher tous les publics, sans distinction d'âge ou de territoire, puisqu'elle a su se faire entendre un peu partout sur la planète, non seulement en Occident mais aussi en... Orient !

Bibliographie

Catherine BARBIER, *Étude sur Marguerite Yource-nar. Les « Nouvelles orientales »*, Ellipses, « Résonances ».

Anne-Yvonne JULIEN, *« Nouvelles orientales » de Marguerite Yourcenar*, Gallimard, « Foliothèque ».

Groupement de textes
thématique

Figures féminines
« de mères et d'amoureuses »

DANS *LE LAIT DE LA MORT*, au tout début de la conversation entre l'ingénieur Jules Boutrin et son compagnon de cabine, Philip Mild, il est fait référence à plusieurs figures très connues « de mères et d'amoureuses » :

> Quelques douzaines de mères et d'amoureuses, depuis Andromaque jusqu'à Griselda, m'ont rendu exigeant à l'égard de ces poupées incassables qui passent pour la réalité.
> « Isolde pour maîtresse, et pour sœur la belle Aude... »

Nous vous proposons ici, dans ce groupement de textes, de faire plus ample connaissance avec trois d'entre elles : Aude, Andromaque et Griselda.

ANONYME

La Chanson de Roland (vers 1090)

On rencontre Aude dans La Chanson de Roland. *Aude est la fiancée de Roland.* La Chanson de Roland *a été composée à la fin du XIᵉ siècle. Il s'agit d'un texte comportant plus de 4 000 vers, regroupés en strophes qu'on appelle des « laisses ». Dans l'extrait suivant qui*

correspond aux laisses 268 et 269, Aude apprend la mort
de Roland :

268

3705 Charles l'empereur est revenu d'Espagne,
Il vient à Aix, le premier siège de la France,
Monte au palais, et entre dans la chambre.
Voici que vient à lui Aude, une belle dame.
Elle dit au roi : « Où est le capitaine Roland,
3710 Qui s'engagea à me prendre pour femme ? »
Charles s'en afflige et il s'attriste,
Il pleure des yeux, il tire sa barbe blanche :
« Sœur, chère amie, tu parles là d'un homme
     mort.
Mais en échange, je t'en donnerai un plus
     noble :
3715 Ce sera Louis, je ne saurais mieux compenser
     ta perte :
Il est mon fils, il possédera mon royaume. »
Aude lui répond : « Ces paroles ne s'adressent
     pas à moi.
Ne plaise à Dieu, ni à ses saints, ni à ses anges,
Qu'après Roland je continue à vivre ! »
3720 Elle devient blême ; tombe aux pieds de Char-
     lemagne,
Et la voilà morte – que Dieu ait pitié de son
     âme !
Les barons francs la pleurent et la plaignent.

269

La belle Aude est allée à sa fin.
Le roi s'imagine qu'elle est évanouie ;
3725 Il a pitié d'elle, l'empereur, il en pleure,
Et il la prend par les mains, l'a relevée.
Sa tête retombe sur les épaules.
Quand Charles comprend qu'il l'a trouvée
     morte,
Il fait venir aussitôt quatre comtesses ;
3730 Dans une église de nonnes elle est portée,

Et elles la veillent toute la nuit jusqu'à l'aube.
On l'enterra en grande pompe le long d'un
    autel,
Et à l'église le roi a fait don de larges terres.

Le texte que vous venez de lire est une traduction de l'ancien français. Par curiosité, regardez le texte tel qu'il a été écrit. Aidez-vous de la traduction et essayez de voir les correspondances !

268

3705 Li empereres est repairet d'Espaigne,
E vient a Ais, al meillor sied de France ;
Muntet el palais, est venut en la sale.
As li Alde venue, une bele damisele.
Ço dist al rei : « O est Rollant le catanie,
3710 Ki me jurat cume sa per a prendre ? »
Carles en ad e dulor e pesance,
Pluret des oilz, tiret sa barbe blance :
« Sœr, cher'amie, de hume mort me demandes.
Jo t'en durai mult esforcet eschange :
3715 Ço est Lœwis, mielz ne sai a parler ;
Il est mes filz e si tendrat mes marches. »
Alde respunt : « Cest mot mei est estrange.
Ne place Deu ne ses seinz ne ses angles
Apres Rollant que jo vive remaigne ! »
3720 Pert la culor, chet as piez Carlemagne,
Sempres est morte, Deus ait mercit de l'anme !
Franceis barons en plurent e si la pleignent.

269

Alde la bel[e] est a sa fin alee.
Quidet li reis que el[le] se seit pasmee ;
3725 Pited en ad, sin pluret l'emperere ;
Prent la as mains, si l'en ad relevee.
Desur l(es)[']espalles ad la teste clinee.
Quant Carles veit que morte l'ad truvee,
Quatre cuntesses sempres i ad mandees.
3730 A un muster de nuneins est portee ;

La noit la guaitent entresqu'a l'ajurnee.
Lunc un alter belement l'enterrerent.
Mult grant honor i ad li reis dunee, AOI.

Jean RACINE (1639-1699)

Andromaque (1667)

(« La bibliothèque Gallimard » n° 70)

*Andromaque est une figure mythologique. Racine s'en
est inspiré pour sa pièce éponyme, publiée en 1668. Il
s'inspirait notamment de l'*Andromaque *d'Euripide.
Dans cette pièce, Andromaque et son fils Astyanax sont
retenus captifs par Pyrrhus.*

*Ce premier extrait est issu du troisième acte de la pièce
de Racine, on y voit Andromaque (la « veuve d'Hector »)
craignant pour la vie de son fils.*

ANDROMAQUE

Où fuyez-vous, Madame ?
N'est-ce pas à vos yeux un spectacle assez doux
Que la veuve d'Hector pleurante à vos genoux ?
Je ne viens point ici, par de jalouses larmes,
Vous envier un cœur qui se rend à vos charmes.
Par une main cruelle, hélas ! j'ai vu percer
Le seul où mes regards prétendaient s'adresser.
Ma flamme par Hector fut jadis allumée ;
Avec lui dans la tombe elle s'est enfermée.
Mais il me reste un fils. Vous saurez quelque jour,
Madame, pour un fils jusqu'où va notre amour ;
Mais vous ne saurez pas, du moins je le souhaite,
En quel trouble mortel son intérêt nous jette,
Lorsque de tant de biens qui pouvaient nous flatter,
C'est le seul qui nous reste, et qu'on veut nous l'ôter.
Hélas ! lorsque, lassés de dix ans de misère,
Les Troyens en courroux menaçaient votre mère,
J'ai su de mon Hector lui procurer l'appui.
Vous pouvez sur Pyrrhus ce que j'ai pu sur lui.

Que craint-on d'un enfant qui survit à sa perte ?
Laissez-moi le cacher en quelque île déserte ;
Sur les soins de sa mère on peut s'en assurer,
Et mon fils avec moi n'apprendra qu'à pleurer.

HERMIONE

Je conçois vos douleurs. Mais un devoir austère,
Quand mon père a parlé, m'ordonne de me taire.
C'est lui qui de Pyrrhus fait agir le courroux.
S'il faut fléchir Pyrrhus, qui le peut mieux que vous ?
Vos yeux assez longtemps ont régné sur son âme ;
Faites-le prononcer : j'y souscrirai. Madame.

(acte III, scène 4)

Dans ce deuxième extrait, Andromaque explique à Céphise, sa confidente, comment elle veut manœuvrer pour sauver son fils : elle décide d'épouser Pyrrhus et de se donner la mort après.

CÉPHISE

Ah ! je n'en doute point : c'est votre époux, Madame,
C'est Hector qui produit ce miracle en votre âme.
Il veut que Troie encor se puisse relever
Avec cet heureux fils qu'il vous fait conserver.
Pyrrhus vous l'a promis. Vous venez de l'entendre,
Madame : il n'attendait qu'un mot pour vous le
   rendre.
Croyez-en ses transports : père, sceptre, alliés,
Content de votre cœur, il met tout à vos pieds.
Sur lui, sur tout son peuple il vous rend souveraine.
Est-ce là ce vainqueur digne de tant de haine ?
Déjà contre les Grecs plein d'un noble courroux,
Le soin de votre fils le touche autant que vous
Il prévient leur fureur, il lui laisse sa garde ;
Pour ne pas l'exposer, lui-même il se hasarde.
Mais tout s'apprête au temple, et vous avez promis…

ANDROMAQUE

Oui, je m'y trouverai. Mais allons voir mon fils.

CÉPHISE

Madame, qui vous presse ? Il suffit que sa vue
Désormais à vos yeux ne soit plus défendue.
Vous lui pourrez bientôt prodiguer vos bontés,
Et vos embrassements ne seront plus comptés.
Quel plaisir d'élever un enfant qu'on voit croître,
Non plus comme un esclave élevé pour son maître,
Mais pour voir avec lui renaître tant de rois !

ANDROMAQUE

Céphise, allons le voir pour la dernière fois.

CÉPHISE

Que dites-vous ? Ô dieux !

ANDROMAQUE

                    Ô ma chère Céphise,
Ce n'est point avec toi que mon cœur se déguise.
Ta foi, dans mon malheur, s'est montrée à mes yeux ;
Mais j'ai cru qu'à mon tour tu me connaissais mieux.
Quoi donc ? as-tu pensé qu'Andromaque infidèle
Pût trahir un époux qui croit revivre en elle,
Et que de tant de morts réveillant la douleur,
Le soin de mon repos me fît troubler le leur ?
Est-ce là cette ardeur tant promise à sa cendre ?
Mais son fils périssait ; il l'a fallu défendre.
Pyrrhus en m'épousant s'en déclare l'appui ;
Il suffit : je veux bien m'en reposer sur lui.
Je sais quel est Pyrrhus : violent, mais sincère,
Céphise, il fera plus qu'il n'a promis de faire.
Sur le courroux des Grecs je m'en repose encor :
Leur haine va donner un père au fils d'Hector,
Je vais donc, puisqu'il faut que je me sacrifie,
Assurer à Pyrrhus le reste de ma vie ;
Je vais, en recevant sa foi sur les autels,
L'engager à mon fils par des nœuds immortels.

Mais aussitôt ma main, à moi seule funeste,
D'une infidèle vie abrégera le reste,
Et sauvant ma vertu, rendra ce que je dois
À Pyrrhus, à mon fils, à mon époux, à moi.
Voilà de mon amour l'innocent stratagème,
Voilà ce qu'un époux m'a commandé lui-même ;
J'irai seule rejoindre Hector et mes aïeux.
Céphise, c'est à toi de me fermer les yeux.

CÉPHISE

Ah ! ne prétendez pas que je puisse survivre...

ANDROMAQUE

Non, non, je te défends, Céphise de me suivre.
Je confie à tes soins mon unique trésor.
Si tu vivais pour moi, vis pour le fils d'Hector.
De l'espoir des Troyens seule dépositaire,
Songe à combien de rois tu deviens nécessaire.
Veille auprès de Pyrrhus ; fais-lui garder sa foi :
S'il le faut, je consens qu'on lui parle de moi ;
Fais-lui valoir l'hymen où je me suis rangée,
Dis-lui qu'avant ma mort je lui fus engagée,
Que ses ressentiments doivent être effacés,
Qu'en lui laissant mon fils, c'est l'estimer assez.
Fais connaître à mon fils les héros de sa race,
Autant que tu pourras, conduis-le sur leur trace :
Dis-lui par quels exploits leurs noms ont éclaté,
Plutôt ce qu'ils ont fait que ce qu'ils ont été ;
Parle-lui tous les jours des vertus de son père ;
Et quelquefois aussi parle-lui de sa mère.
Mais qu'il ne songe plus, Céphise, à nous venger :
Nous lui laissons un maître, il le doit ménager.
Qu'il ait de ses aïeux un souvenir modeste :
Il est du sang d'Hector, mais il en est le reste ;
Et pour ce reste enfin j'ai moi-même, en un jour,
Sacrifié mon sang, ma haine, et mon amour.

CÉPHISE

Hélas !

ANDROMAQUE

Ne me suis point, si ton cœur en alarmes
Prévoit qu'il ne pourra commander à tes larmes.
On vient. Cache tes pleurs, Céphise, et souviens-toi
Que le sort d'Andromaque est commis à ta foi.
C'est Hermione. Allons, fuyons sa violence.

Charles PERRAULT (1628-1703)

Grisélidis (1691)

(« Le Livre de poche »)

*Griselda est une jeune bergère que va épouser un prince.
Ce dernier va la soumettre à un certain nombre d'épreuves
(lui retirer ses enfants, la répudier) avant, finalement,
d'avouer n'avoir agi que pour l'éprouver et reconnaître ses
vertus. On rencontre ce personnage dans le* Décaméron
*de Boccace. On la retrouve aussi dans un conte de Per-
rault, tout simplement intitulé* Grisélidis *(1691). C'est de
ce dernier que sont extraits les passages suivants où l'on
voit toute la défiance du jeune prince envers sa nouvelle
épouse qui vient de lui donner une fille.*

Avant la fin de l'an, des fruits de l'Hyménée
Le Ciel bénit leur couche fortunée ;
Ce ne fut pas un Prince, on l'eût bien souhaité ;
Mais la jeune Princesse avait tant de beauté
Que l'on ne songea plus qu'à conserver sa vie ;
Le Père qui lui trouve un air doux et charmant
La venait voir de moment en moment,
Et la Mère encor plus ravie
La regardait incessamment.

Elle voulut la nourrir elle-même :
Ah ! dit-elle, comment m'exempter de l'emploi
Que ses cris demandent de moi
Sans une ingratitude extrême ?
Par un motif de Nature ennemi

Pourrais-je bien vouloir de mon Enfant que j'aime
N'être la Mère qu'à demi?

Soit que le Prince eût l'âme un peu moins
    enflammée
Qu'aux premiers jours de son ardeur,
Soit que de sa maligne humeur
La masse se fût rallumée,
Et de son épaisse fumée
Eût obscurci ses sens et corrompu son cœur
Dans tout ce que fait la Princesse,
Il s'imagine voir peu de sincérité.
Sa trop grande vertu le blesse,
C'est un piège qu'on tend à sa crédulité;
Son esprit inquiet et de trouble agité
Croit tous les soupçons qu'il écoute,
Et prend plaisir à révoquer en doute
L'excès de sa félicité.

Pour guérir les chagrins dont son âme est atteinte,
Il la suit, il l'observe, il aime à la troubler
Par les ennuis de la contrainte,
Par les alarmes de la crainte,
Par tout ce qui peut démêler
La vérité d'avec la feinte.
C'est trop, dit-il, me laisser endormir;
Si ses vertus sont véritables,
Les traitements les plus insupportables
Ne feront que les affermir.

Dans son Palais il la tient resserrée,
Loin de tous les plaisirs qui naissent à la Cour
Et dans sa chambre, où seule elle vit retirée,
À peine il laisse entrer le jour
Persuadé que la Parure
Et le superbe Ajustement
Du sexe que pour plaire a formé la Nature
Est le plus doux enchantement
Il lui demande avec rudesse
Les perles, les rubis, les bagues, les bijoux

Qu'il lui donna pour marque de tendresse,
Lorsque de son Amant il devint son Époux.

Elle dont la vie est sans tache,
Et qui n'a jamais eu d'attache
Qu'à s'acquitter de son devoir,
Les lui donne sans s'émouvoir
Et même, le voyant se plaire à les reprendre,
N'a pas moins de joie à les rendre
Qu'elle en eut à les recevoir.

Pour m'éprouver mon Époux me tourmente,
Dit-elle, et je vois bien qu'il ne me fait souffrir
Qu'afin de réveiller ma vertu languissante,
Qu'un doux et long repos pourrait faire périr.
S'il n'a pas ce dessein, du moins suis-je assurée
Que telle est du Seigneur la conduite sur moi
Et que de tant de maux l'ennuyeuse durée
N'est que pour exercer ma constance et ma foi.

Pendant que tant de malheureuses
Errent au gré de leurs désirs
Par mille routes dangereuses,
Après de faux et vains plaisirs ;
Pendant que le Seigneur dans sa lente justice
Les laisse aller aux bords du précipice
Sans prendre part à leur danger,
Par un pur mouvement de sa bonté suprême,
Il me choisit comme un enfant qu'il aime,
Et s'applique à me corriger.

Aimons donc sa rigueur utilement cruelle,
On n'est heureux qu'autant qu'on a souffert,
Aimons sa bonté paternelle
Et la main dont elle se sert.

Le Prince a beau la voir obéir sans contrainte
À tous ses ordres absolus :
Je vois le fondement de cette vertu feinte,
Dit-il, et ce qui rend tous mes coups superflus,
C'est qu'ils n'ont porté leur atteinte
Qu'à des endroits où son amour n'est plus.

Dans son Enfant, dans la jeune Princesse,
Elle a mis toute sa tendresse ;
À l'éprouver si je veux réussir,
C'est là qu'il faut que je m'adresse,
C'est là que je puis m'éclaircir

Elle venait de donner la mamelle
Au tendre objet de son amour ardent,
Qui couché sur son sein se jouait avec elle,
Et riait en la regardant :
Je vois que vous l'aimez, lui dit-il, cependant
Il faut que je vous l'ôte en cet âge encor tendre,
Pour lui former les mœurs et pour la préserver
De certains mauvais airs qu'avec vous l'on peut
    prendre ;
Mon heureux sort m'a fait trouver
Une Dame d'esprit qui saura l'élever
Dans toutes les vertus et dans la politesse
Que doit avoir une Princesse.
Disposez-vous à la quitter,
On va venir pour l'emporter.

Il la laisse à ces mots, n'ayant pas le courage,
Ni les yeux assez inhumains,
Pour voir arracher de ses mains
De leur amour l'unique gage ;
Elle de mille pleurs se baigne le visage,
Et dans un morne accablement
Attend de son malheur le funeste moment.

Dès que d'une action si triste et si cruelle
Le ministre odieux à ses yeux se montra,
Il faut obéir lui dit-elle ;
Puis prenant son Enfant qu'elle considéra,
Qu'elle baisa d'une ardeur maternelle,
Qui de ses petits bras tendrement la serra,
Toute en pleurs elle le livra.
Ah ! que sa douleur fut amère !
Arracher l'enfant ou le cœur
Du sein d'une si tendre Mère,
C'est la même douleur.

Près de la Ville était un Monastère,
Fameux par son antiquité,
Où des Vierges vivaient dans une règle austère,
Sous les yeux d'une Abbesse illustre en piété.
Ce fut là que dans le silence,
Et sans déclarer sa naissance,
On déposa l'Enfant, et des bagues de prix,
Sous l'espoir d'une récompense
Digne des soins que l'on en aurait pris.

Le Prince qui tâchait d'éloigner par la chasse
Le vif remords qui l'embarrasse
Sur l'excès de sa cruauté,
Craignait de revoir la Princesse,
Comme on craint de revoir une fière Tigresse
À qui son faon vient d'être ôté ;
Cependant il en fut traité
Avec douceur avec caresse,
Et même avec cette tendresse
Qu'elle eut aux plus beaux jours de sa prospérité.

Par cette complaisance et si grande et si prompte,
Il fut touché de regret et de honte ;
Mais son chagrin demeura le plus fort :
Ainsi, deux jours après, avec des larmes feintes,
Pour lui porter encor de plus vives atteintes,
Il lui vint dire que la Mort
De leur aimable Enfant avait fini le sort.

Ce coup inopiné mortellement la blesse,
Cependant malgré sa tristesse,
Ayant vu son Époux qui changeait de couleur
Elle parut oublier son malheur
Et n'avoir même de tendresse
Que pour le consoler de sa fausse douleur

Cette bonté, cette ardeur sans égale
D'amitié conjugale,
Du Prince tout à coup désarmant la rigueur
Le touche, le pénètre et lui change le cœur

Jusque-là qu'il lui prend envie
De déclarer que leur Enfant
Jouit encore de la vie ;
Mais sa bile s'élève et fière lui défend
De rien découvrir du mystère
Qu'il peut être utile de taire.

Dès ce bienheureux jour telle des deux Époux
Fut la mutuelle tendresse,
Qu'elle n'est point plus vive aux moments les plus
    doux
Entre l'Amant et la Maîtresse.

Quinze fois le Soleil, pour former les saisons,
Habita tour à tour dans ses douze maisons,
Sans rien voir qui les désunisse ;
Que si quelquefois par caprice
Il prend plaisir à la fâcher
C'est seulement pour empêcher
Que l'amour ne se ralentisse,
Tel que le Forgeron qui pressant son labeur
Répand un peu d'eau sur la braise
De sa languissante fournaise
Pour en redoubler la chaleur

Cependant la jeune Princesse
Croissait en esprit et en sagesse ;
À la douceur à la naïveté

Qu'elle tenait de son aimable Mère,
Elle joignit de son illustre Père
L'agréable et noble fierté ;
L'amas de ce qui plaît dans chaque caractère
Fit une parfaite beauté.

Partout comme un Astre elle brille ;
Et par hasard un Seigneur de la Cour
Jeune, bien fait et plus beau que le jour
L'ayant vue paraître à la grille,
Conçut pour elle un violent amour
Par l'instinct qu'au beau sexe a donné la Nature,

Et que toutes les beautés ont
De voir l'invisible blessure
Que font leurs yeux, au moment qu'ils la font,
La Princesse fut informée
Qu'elle était tendrement aimée.

Après avoir quelque temps résisté
Comme on le doit avant que de se rendre,
D'un amour également tendre
Elle l'aima de son côté.

Dans cet Amant, rien n'était à reprendre,
Il était beau, vaillant, né d'illustres aïeux
Et dès longtemps pour en faire son Gendre.
Sur lui le Prince avait jeté les yeux.
Ainsi donc avec joie il apprit la nouvelle
De l'ardeur tendre et mutuelle
Dont brûlaient ces jeunes Amants ;
Mais il lui prit une bizarre envie
De leur faire acheter par de cruels tourments
Le plus grand bonheur de leur vie.

Je me plairai, dit-il, à les rendre contents ;
Mais il faut que l'Inquiétude,
Par tout ce qu'elle a de plus rude,
Rende encor leurs feux plus constants ;
De mon Épouse en même temps
J'exercerai la patience,
Non point, comme jusqu'à ce jour,
Pour assurer ma folle défiance,
Je ne dois plus douter de son amour ;
Mais pour faire éclater aux yeux de tout le Monde
Sa Bonté, sa Douceur sa Sagesse profonde,
Afin que de ces dons si grands, si précieux,
La Terre se voyant parée,
En soit de respect pénétrée,
Et par reconnaissance en rende grâce aux Cieux.

Il déclare en public que manquant de lignée,
En qui l'État un jour retrouve son Seigneur,
Que la fille qu'il eut de son fol hyménée

Étant morte aussitôt que née,
Il doit ailleurs chercher plus de bonheur;
Que l'Épouse qu'il prend est d'illustre naissance,
Qu'en un Couvent on l'a jusqu'à ce jour
Fait élever dans l'innocence,
Et qu'il va par l'hymen couronner son amour.

On peut juger à quel point fut cruelle
Aux deux jeunes Amants cette affreuse nouvelle;
Ensuite, sans marquer ni chagrin, ni douleur,
Il avertit son Épouse fidèle
Qu'il faut qu'il se sépare d'elle
Pour éviter un extrême malheur;
Que le Peuple indigné de sa basse naissance
Le force à prendre ailleurs une digne alliance.

Il faut, dit-il, vous retirer
Sous votre toit de chaume et de fougère
Après avoir repris vos habits de Bergère
Que je vous ai fait préparer.

Approche stylistique

Une nouvelle fantastique

CERTAINS DES TEXTES de Marguerite Yourcenar que vous avez pu lire dans notre choix de textes issus des *Nouvelles orientales* sont, d'une certaine façon, liés au fantastique. Nous vous proposons de découvrir ici une nouvelle qui l'est encore plus : il s'agit de *La Cafetière* (1831) de Théophile Gautier.

Plusieurs théoriciens se sont attelés à la définition du genre fantastique. On peut retenir celle du critique contemporain Tzvetan Todorov qui explique que le fantastique repose sur une hésitation du lecteur : faut-il privilégier une explication rationnelle des faits ou bien une explication irrationnelle ? Autrement dit, c'est dans cette oscillation entre deux interprétations que résiderait l'essence du fantastique.

Théophile GAUTIER (1811-1872)

La Cafetière (1831)

(dans *Contes fantastiques*,
« La bibliothèque Gallimard » n° 36)

> J'ai vu sous de sombres voiles
> Onze étoiles,
> La lune, aussi le soleil,
> Me faisant la révérence,
> En silence,
> Tout le long de mon sommeil.
>
> *La vision de Joseph.*

I

L'année dernière, je fus invité, ainsi que deux de mes camarades d'atelier, Arrigo Cohic et Pedrino Borgnioli à passer quelques jours dans une terre au fond de la Normandie. Le temps, qui, à notre départ, promettait d'être superbe, s'avisa de changer tout à coup, et il tomba tant de pluie, que les chemins creux où nous marchions étaient comme le lit d'un torrent.

Nous enfoncions dans la bourbe jusqu'aux genoux, une couche épaisse de terre grasse s'était attachée aux semelles de nos bottes, et par sa pesanteur ralentissait tellement nos pas que nous n'arrivâmes au lieu de notre destination qu'une heure après le coucher du soleil.

Nous étions harassés ; aussi, notre hôte, voyant les efforts que nous faisions pour comprimer nos bâillements et tenir les yeux ouverts, aussitôt que nous eûmes soupé, nous fit conduire chacun dans notre chambre.

La mienne était vaste ; je sentis, en y entrant, comme un frisson de fièvre, car il me sembla que j'entrais dans un monde nouveau.

En effet, l'on aurait pu se croire au temps de la Régence, à voir les dessus de porte de Boucher représentant les quatre Saisons, les meubles surchargés d'ornements de rocaille du plus mauvais goût, et les trumeaux des glaces sculptés lourdement. Rien n'était dérangé. La toilette couverte de boîtes à peignes, de houppes à poudrer, paraissait avoir servi la veille. Deux ou trois robes de couleurs changeantes, un éventail semé de paillettes d'argent, jonchaient le parquet bien ciré, et, à mon grand étonnement, une tabatière d'écaille ouverte sur la cheminée était pleine de tabac encore frais. Je ne remarquai ces choses qu'après que le domestique, déposant son bougeoir sur la table de nuit, m'eut souhaité un bon somme, et, je l'avoue, je commençai à trembler comme la feuille. Je me déshabillai promptement, je me couchai, et, pour en finir avec ces sottes frayeurs, je fermai bientôt les yeux en me tournant du côté de la muraille.

Mais il me fut impossible de rester dans cette position : le lit s'agitait sous moi comme une vague, mes paupières se retiraient violemment en arrière. Force me fut de me retourner et de voir.

Le feu qui flambait jetait des reflets rougeâtres dans l'appartement, de sorte qu'on pouvait sans peine distinguer les personnages de la tapisserie et les figures des portraits enfumés pendus à la muraille. C'étaient les aïeux de notre hôte, des chevaliers bardés de fer, des conseillers en perruque, et de belles dames au visage fardé et aux cheveux poudrés à blanc, tenant une rose à la main.

Tout à coup le feu prit un étrange degré d'activité ; une lueur blafarde illumina la chambre, et je vis clairement que ce que j'avais pris pour de vaines peintures était la réalité ; car les prunelles de ces êtres encadrés remuaient, scintillaient d'une façon singulière ; leurs lèvres s'ouvraient et se fermaient comme des lèvres de gens qui parlent, mais je n'entendais rien que le tic-tac de la pendule et le sifflement de la bise d'automne.

Une terreur insurmontable s'empara de moi, mes cheveux se hérissèrent sur mon front, mes dents s'entrechoquèrent à se briser, une sueur froide inonda tout mon corps.

La pendule sonna onze heures. Le vibrement du dernier coup retentit longtemps, et, lorsqu'il fut éteint tout à fait...

Oh! non, je n'ose pas dire ce qui arriva, personne ne me croirait, et l'on me prendrait pour un fou. Les bougies s'allumèrent toutes seules; le soufflet, sans qu'aucun être visible lui imprimât le mouvement, se prit à souffler le feu, en râlant comme un vieillard asthmatique, pendant que les pincettes fourgonnaient dans les tisons et que la pelle relevait les cendres.

Ensuite une cafetière se jeta en bas d'une table où elle était posée, et se dirigea, clopin-clopant, vers le foyer, où elle se plaça entre les tisons.

Quelques instant après, les fauteuils commencèrent à s'ébranler, et, agitant leurs pieds tortillés d'une manière surprenante, vinrent se ranger autour de la cheminée.

II

Je ne savais que penser de ce que je voyais; mais ce qui me restait à voir était encore bien plus extraordinaire.

Un des portraits, le plus ancien de tous, celui d'un gros joufflu à barbe grise, ressemblant, à s'y méprendre, à l'idée que je me suis faite du vieux sir John Falstaff, sortit, en grimaçant, la tête de son cadre, et, après de grands efforts, ayant fait passer ses épaules et son ventre rebondi entre les ais étroits de la bordure, sauta lourdement par terre. Il n'eut pas plutôt pris haleine, qu'il tira de la poche de son pourpoint une clef d'une petitesse remarquable; il souffla dedans pour s'assurer si la forure était bien nette, et il l'appliqua à tous les cadres les uns après les autres.

Et tous les cadres s'élargirent de façon à laisser passer aisément les figures qu'ils renfermaient.

Petits abbés poupins, douairières sèches et jaunes, magistrats à l'air grave ensevelis dans de grandes robes noires, petits-maîtres en bas de soie, en culotte de prunelle, la pointe de l'épée en haut, tous ces personnages présentaient un spectacle si bizarre, que, malgré ma frayeur, je ne pus m'empêcher de rire.

Ces dignes personnages s'assirent; la cafetière sauta légèrement sur la table. Ils prirent le café dans des tasses du Japon blanches et bleues, qui accoururent spontanément de dessus un secrétaire, chacune d'elles munie d'un morceau de sucre et d'une petite cuiller d'argent.

Quand le café fut pris, tasses, cafetière et cuillers disparurent à la fois, et la conversation commença, certes la plus curieuse que j'aie jamais ouïe, car aucun de ces étranges causeurs ne regardait l'autre en parlant : ils avaient tous les yeux fixés sur la pendule.

Je ne pouvais moi-même en détourner mes regards et m'empêcher de suivre l'aiguille, qui marchait vers minuit à pas imperceptibles.

Enfin, minuit sonna; une voix, dont le timbre était exactement celui de la pendule, se fit entendre et dit :

— Voici l'heure, il faut danser.

Toute l'assemblée se leva. Les fauteuils se reculèrent de leur propre mouvement; alors, chaque cavalier prit la main d'une dame, et la même voix dit :

— Allons, messieurs de l'orchestre, commencez !

J'ai oublié de dire que le sujet de la tapisserie était un concerto italien d'un côté, et de l'autre une chasse au cerf où plusieurs valets donnaient du cor. Les piqueurs et les musiciens, qui, jusque-là, n'avaient fait aucun geste, inclinèrent la tête en signe d'adhésion.

Le maestro leva sa baguette, et une harmonie vive et dansante s'élança des deux bouts de la salle. On dansa d'abord le menuet.

Mais les notes rapides de la partition exécutée par les musiciens s'accordaient mal avec ces graves révérences : aussi chaque couple de danseurs, au bout de quelques minutes, se mit à pirouetter, comme une toupie d'Allemagne. Les robes de soie des femmes, froissées dans ce tourbillon dansant, rendaient des sons d'une nature particulière ; on aurait dit le bruit d'ailes d'un vol de pigeons. Le vent qui s'engouffrait par-dessous les gonflait prodigieusement, de sorte qu'elles avaient l'air de cloches en branle.

L'archet des virtuoses passait si rapidement sur les cordes, qu'il en jaillissait des étincelles électriques. Les doigts des flûteurs se haussaient et se baissaient comme s'ils eussent été de vif-argent ; les joues des piqueurs étaient enflées comme des ballons, et tout cela formait un déluge de notes et de trilles si pressés et de gammes ascendantes et descendantes si entortillées, si inconcevables, que les démons eux-mêmes n'auraient pu deux minutes suivre une pareille mesure.

Aussi, c'était pitié de voir tous les efforts de ces danseurs pour rattraper la cadence. Ils sautaient, cabriolaient, faisaient des ronds de jambe, des jetés battus et des entrechats de trois pieds de haut, tant que la sueur, leur coulant du front sur les yeux, leur emportait les mouches et le fard. Mais ils avaient beau faire, l'orchestre les devançait toujours de trois ou quatre notes.

La pendule sonna une heure ; ils s'arrêtèrent. Je vis quelque chose qui m'était échappé : une femme qui ne dansait pas.

Elle était assise dans une bergère au coin de la cheminée, et ne paraissait pas le moins du monde prendre part à ce qui se passait autour d'elle.

Jamais, même en rêve, rien d'aussi parfait ne s'était présenté à mes yeux ; une peau d'une blancheur éblouissante, des cheveux d'un blond cendré, de longs cils et des prunelles bleues, si claires et si

transparentes, que je voyais son âme à travers aussi
distinctement qu'un caillou au fond d'un ruisseau.
Et je sentis que, si jamais il m'arrivait d'aimer quelqu'un, ce serait elle. Je me précipitai hors du lit,
d'où jusque-là je n'avais pu bouger, et je me diri-
geai vers elle, conduit par quelque chose qui agissait en moi sans que je pusse m'en rendre compte ;
et je me trouvai à ses genoux, une de ses mains
dans les miennes, causant avec elle comme si je
l'eusse connue depuis vingt ans.

Mais, par un prodige bien étrange, tout en lui
parlant, je marquais d'une oscillation de tête la
musique qui n'avait pas cessé de jouer ; et, quoique
je fusse au comble du bonheur d'entretenir une
aussi belle personne, les pieds me brûlaient de danser avec elle.

Cependant je n'osais lui en faire la proposition. Il
paraît qu'elle comprit ce que je voulais, car, levant
vers le cadran de l'horloge la main que je ne tenais
pas :

— Quand l'aiguille sera là, nous verrons, mon cher
Théodore.

Je ne sais comment cela se fit, je ne fus nullement
surpris de m'entendre ainsi appeler par mon nom,
et nous continuâmes à causer. Enfin, l'heure indi-
quée sonna, la voix au timbre d'argent vibra encore
dans la chambre et dit :

— Angéla, vous pouvez danser avec monsieur, si
cela vous fait plaisir, mais vous savez ce qui en résul-
tera.

— N'importe, répondit Angéla d'un ton boudeur.
Et elle passa son bras d'ivoire autour de mon cou.

— Prestissimo ! cria la voix.

Et nous commençâmes à valser. Le sein de la jeune
fille touchait ma poitrine, sa joue veloutée effleu-
rait la mienne, et son haleine suave flottait sur ma
bouche.

Jamais de la vie je n'avais éprouvé une pareille émo-
tion ; mes nerfs tressaillaient comme des ressorts

d'acier, mon sang coulait dans mes artères en torrent de lave, et j'entendais battre mon cœur comme une montre accrochée à mes oreilles.

Pourtant cet état n'avait rien de pénible. J'étais inondé d'une joie ineffable et j'aurais toujours voulu demeurer ainsi, et, chose remarquable, quoique l'orchestre eût triplé de vitesse, nous n'avions besoin de faire aucun effort pour le suivre.

Les assistants, émerveillés de notre agilité, criaient bravo, et frappaient de toutes leurs forces dans leurs mains, qui ne rendaient aucun son.

Angéla, qui jusqu'alors avait valsé avec une énergie et une justesse surprenantes, parut tout à coup se fatiguer ; elle pesait sur mon épaule comme si les jambes lui eussent manqué ; ses petits pieds, qui, une minute auparavant, effleuraient le plancher, ne s'en détachaient que lentement, comme s'ils eussent été chargés d'une masse de plomb.

— Angéla, vous êtes lasse, lui dis-je, reposons-nous.

— Je le veux bien, répondit-elle en s'essuyant le front avec son mouchoir. Mais, pendant que nous valsions, ils se sont tous assis ; il n'y a plus qu'un fauteuil, et nous sommes deux.

— Qu'est-ce que cela fait, mon bel ange ? Je vous prendrai sur mes genoux.

III

Sans faire la moindre objection, Angéla s'assit, m'entourant de ses bras comme d'une écharpe blanche, cachant sa tête dans mon sein pour se réchauffer un peu, car elle était devenue froide comme un marbre.

Je ne sais pas combien de temps nous restâmes dans cette position, car tous mes sens étaient absorbés dans la contemplation de cette mystérieuse et fantastique créature.

Je n'avais plus aucune idée de l'heure ni du lieu ; le monde réel n'existait plus pour moi, et tous les liens qui m'y attachent étaient rompus ; mon âme, dégagée de sa prison de boue, nageait dans le

vague et l'infini ; je comprenais ce que nul homme
ne peut comprendre, les pensées d'Angéla se révé-
lant à moi sans qu'elle eût besoin de parler ; car son
âme brillait dans son corps comme une lampe d'al-
bâtre, et les rayons partis de sa poitrine perçaient la
mienne de part en part.

L'alouette chanta, une lueur pâle se joua sur les
rideaux.

Aussitôt qu'Angéla l'aperçut, elle se leva précipi-
tamment, me fit un geste d'adieu, et, après quelques
pas, poussa un cri et tomba de sa hauteur.

Saisi d'effroi, je m'élançai pour la relever... Mon
sang se fige rien que d'y penser : je ne trouvai rien
que la cafetière brisée en mille morceaux.

À cette vue, persuadé que j'avais été le jouet de
quelque illusion diabolique, une telle frayeur s'empara de moi, que je m'évanouis.

IV

Lorsque je repris connaissance, j'étais dans mon lit ;
Arrigo Cohic et Pedrino Borgnioli se tenaient debout
à mon chevet.

Aussitôt que j'eus ouvert les yeux, Arrigo s'écria :

— Ah ! ce n'est pas dommage ! voilà bientôt une
heure que je te frotte les tempes d'eau de Cologne.
Que diable as-tu fait cette nuit ? Ce matin, voyant
que tu ne descendais pas, je suis entré dans ta
chambre, et je t'ai trouvé tout du long étendu par
terre, en habit à la française, serrant dans tes bras
un morceau de porcelaine brisée, comme si c'eût
été une jeune et jolie fille.

— Pardieu ! c'est l'habit de noce de mon grand-
père, dit l'autre en soulevant une des basques de
soie fond rose à ramages verts. Voilà les boutons de
strass et de filigrane qu'il nous vantait tant. Théodore l'aura trouvé dans quelque coin et l'aura mis
pour s'amuser. Mais à propos de quoi t'es-tu trouvé
mal ? ajouta Borgnioli. Cela est bon pour une petite
maîtresse qui a des épaules blanches ; on la délace,

on lui ôte ses colliers, son écharpe, et c'est une belle occasion de faire des minauderies.

— Ce n'est qu'une faiblesse qui m'a pris; je suis sujet à cela, répondis-je sèchement.

Je me levai, je me dépouillai de mon ridicule accoutrement.

Et puis l'on déjeuna.

Mes trois camarade mangèrent beaucoup et burent encore plus; moi, je ne mangeais presque pas, le souvenir de ce qui s'était passé me causait d'étranges distractions.

Le déjeuner fini, comme il pleuvait à verse, il n'y eut pas moyen de sortir; chacun s'occupa comme il put. Borgnioli tambourina des marches guerrières sur les vitres; Arrigo et l'hôte firent une partie de dames; moi, je tirai de mon album un carré de vélin, et je me mis à dessiner.

Les linéaments presque imperceptibles tracés par mon crayon, sans que j'y eusse songé le moins du monde, se trouvèrent représenter avec la plus merveilleuse exactitude la cafetière qui avait joué un rôle si important dans les scènes de la nuit.

— C'est étonnant comme cette tête ressemble à ma sœur Angéla, dit l'hôte, qui, ayant terminé sa partie, me regardait travailler par-dessus mon épaule. En effet, ce qui m'avait semblé tout à l'heure une cafetière était bien réellement le profil doux et mélancolique d'Angéla.

— De par tous les saints du paradis! est-elle morte ou vivante? m'écriai-je d'un ton de voix tremblant, comme si ma vie eût dépendu de sa réponse.

— Elle est morte, il y a deux ans, d'une fluxion de poitrine à la suite d'un bal.

— Hélas! répondis-je douloureusement.

Et, retenant une larme qui était près de tomber, je replaçai le papier dans l'album.

Je venais de comprendre qu'il n'y avait plus pour moi de bonheur sur la terre!

Chronologie

Marguerite Yourcenar
et son temps

GRANDE VOYAGEUSE, grand écrivain, grande figure du xxᵉ siècle, Marguerite Yourcenar fut tout cela, et encore un peu plus. Son œuvre est vaste et riche, sa vie ne le fut pas moins. Et si nous regardions un peu l'histoire de cette femme hors du commun ?

1.

Une enfance sous le signe du père

Marguerite Yourcenar est quasiment née avec le siècle puisqu'elle voit le jour en 1903, à Bruxelles. Dans l'incipit de la première partie de son autobiographie (*Souvenirs pieux*, 1974), elle évoque sa naissance de la façon suivante :

> L'être que j'appelle moi vint au monde un certain lundi 8 juin 1903, vers les 8 heures du matin, à Bruxelles, et naissait d'un Français appartenant à une vieille famille du Nord, et d'une Belge dont les ascendants avaient été durant quelques siècles établis à Liège, puis s'étaient fixés dans le Hainaut.

La formule montre la distance prise par l'auteure par rapport à la question du «moi». Dix jours après l'accouchement, sa mère, Fernande, décède des suites d'une fièvre puerpérale. «Je crois que le manque a été absolument nul, déclare-t-elle un jour à Bernard Pivot, car enfin il est impossible — à moins d'avoir un caractère extrêmement romanesque — de s'éprendre, de s'émouvoir d'une personne qu'on n'a jamais vue».

Orpheline de mère, la petite fille passera son enfance avec son père, dans la propriété du Mont Noir l'été, dans la maison familiale de Lille le reste du temps, sauf l'hiver, époque à laquelle ils résident dans le midi de la France. Attentif, le père de Marguerite Yourcenar, Michel de Crayencour, passe beaucoup de temps avec elle, et éveille son intérêt pour la lecture.

Lorsque meurt la grand-mère du futur écrivain, Noémi, en 1909, le père et sa fille s'installent à Paris. Les activités intellectuelles et culturelles de Marguerite Yourcenar et de son père se multiplient : théâtre, musées, galeries. Et la lecture, encore et toujours, des grandes œuvres passées et contemporaines. «Je suis allée de lecture en lecture et d'intérêt en intérêt», proclame-t-elle.

Au début de la guerre, Marguerite et son père partent vivre un an à Londres : c'est là qu'elle commence à apprendre l'anglais et le latin. De retour à Paris, elle s'initie au grec et à l'Italien. Puis, en 1917, ils séjournent dans le Midi où Marguerite décrochera à Nice un baccalauréat latin-grec.

1905	Loi de séparation de l'Église et de l'État.
1912	Naufrage du *Titanic*.
1913	Alain-Fournier, *Le Grand Meaulnes*. Marcel Proust, *Du côté de chez Swann*.
1914	Première Guerre mondiale.
1916	Sigmund Freud, *Introduction à la psychanalyse*.
1918	Armistice du 11 novembre. Guillaume Apollinaire, *Calligrammes*.
1919	Traité de Versailles, fondation de la SDN.

2.

Les premières œuvres et les premiers voyages

En 1921, Marguerite Yourcenar publie, à compte d'auteur, sa première œuvre : il s'agit d'un poème dialogué inspiré de la légende d'Icare, qui s'intitule *Le Jardin des chimères*. L'année d'après suivent *Les dieux ne sont pas morts*. Avec son père, elle crée son pseudonyme, une anagramme formée à partir de son véritable patronyme Crayencour :

> Nous avons cherché, nous nous sommes amusés à faire des anagrammes du nom de Crayencour, et après une soirée agréable, déplaçant les mots, les lettres sur une feuille de papier, nous sommes tombés sur Yourcenar.

Elle se lance alors dans un vaste projet, centré sur l'histoire familiale, de plus de cinq cents pages (*Remous*) qui ne lui conviendra pas et dont elle ne sauvegardera que quelques textes qui seront publiés en 1934 dans *La Mort conduit l'attelage*. D'autres morceaux serviront de noyaux à d'autres œuvres.

Entre 1922 et 1926, elle découvre l'Italie et ébauche ce qui sera plus tard l'un de ses grands succès : *Mémoires d'Hadrien*. Elle poursuit par ailleurs ses études et commence à s'intéresser à l'Inde et à l'Extrême-Orient.

En 1929, elle publie *Alexis ou le Traité du vain combat*. Son père meurt la même année. Au cours des années suivantes, elle livre *Denier du rêve* et *La Mort conduit l'attelage*. À partir de 1934, Marguerite Yourcenar se centre sur la Grèce. Elle voyage en compagnie d'Andreas Embirikos (le dédicataire des *Nouvelles orientales* qu'elle publie en 1938). À Athènes, elle commence avec Constantin Dimaras un travail de traduction des poèmes d'un très célèbre auteur grec, Constantin Cavafy. Durant cette époque, elle écrit aussi *Feux* (1936) et *Les Songes et les sorts* qui paraîtra également en 1938. En 1939, elle sort *Le Coup de grâce*.

1922	Mussolini au pouvoir en Italie. Einstein prix Nobel.
1923	Colette, *Le Blé en herbe*.
1924	André Breton, *Manifeste du surréalisme*.
1927	François Mauriac, *Thérèse Desqueyroux*.
1929	Krach boursier de Wall Street.
1932	Céline, *Voyage au bout de la nuit*.
1933	Malraux, *La Condition humaine*.
1933	Hitler au pouvoir en Allemagne.
1934	La radioactivité découverte par les Curie.
1936	Front populaire.
1938	Jean-Paul Sartre, *La Nausée*.
1939	Seconde Guerre mondiale.

3.

Grace Frick et l'Amérique

En 1937, Marguerite Yourcenar rencontre celle qui deviendra non seulement sa fidèle traductrice, mais aussi sa compagne : il s'agit de Grace Frick, une universitaire américaine. Elle fait ainsi son premier séjour aux États-Unis où elle part en octobre 1939. Elle vit alors avec Grace Frick, donne des cours dans le supérieur et traduit des *negro spirituals*.

Marguerite Yourcenar se plaît là-bas et en 1947 elle est naturalisée américaine. Avec Grace, elle achète «Petite Plaisance», dans l'île des Monts-Déserts (Maine) où elles s'installent définitivement.

En 1951, Marguerite Yourcenar connaît un succès énorme avec *Mémoires d'Hadrien*. Le livre est aussitôt traduit dans de nombreuses langues. L'auteure précise, dans les notes qui accompagnent ce livre : « Je me suis plu à faire et à refaire ce portrait d'un homme presque sage » et explique pourquoi elle a choisi d'écrire à la première personne :

> Portrait d'une voix. Si j'ai choisi d'écrire ces Mémoires d'Hadrien à la première personne, c'est pour me passer le plus possible de tout intermédiaire, fût-ce de moi-même. Hadrien pouvait parler de sa vie plus fermement et plus subtilement que moi.

Entre 1952 et 1958, les deux femmes se partagent entre leur maison et des voyages un peu partout, en Europe et au Canada. À cette époque, Yourcenar commence à penser à son projet autobiographique et s'engage parallèlement dans des mouvements pacifistes, antiracistes et écologiques.

En 1962, elle publie *Sous bénéfice d'inventaire* et, l'année d'après, plusieurs pièces de théâtre.

En 1964, sa traduction des *negro spirituals* voit le jour. Deux ans avant, elle avait entamé l'écriture d'un autre de ses grands romans : *L'Œuvre au Noir*, qui parait en 1968, roman où l'on retrouve l'un des ses personnages favoris, Zénon. Plus tard, elle dira : « J'aime Zénon comme un frère. » Dans le *Carnets de notes* de *L'Œuvre au Noir*, elle écrit :

> Que de fois, la nuit, ne pouvant dormir, j'ai eu l'impression de *tendre la main*, à Zénon, se reposant d'exister, couché sur le même lit. Je connais bien cette main d'un brun gris, très forte, longue, aux doigts en spatules, peu charnus, aux ongles assez pâles et grands, coupés ras.

Aussitôt après, elle entreprend la rédaction de *Souvenirs pieux*, le premier volume de son autobiographie qui, au final, en comportera trois.

Mais tout n'est pas joyeux dans la vie des deux femmes. Outre les tracas quotidiens, une ombre obscurcit le tableau : depuis 1959, Grace Frick est malade. Son état de santé se dégrade et s'aggrave tout au long des années soixante-dix. Elle meurt en 1979. Avant de disparaître, elle aura cependant la joie de voir sa compagne reçue à l'Académie royale belge (1971) et obtenir le Grand Prix de l'Académie française (1977). Ultime satisfaction pour elle, certainement : avoir eu le temps de terminer *The Abyss*, sa traduction de *L'Œuvre au Noir*, en 1976. Durant ces années de maladie, Marguerite Yourcenar reste auprès de Grace le plus possible et continue ses travaux d'écriture : elle publie ainsi *Souvenirs pieux* en 1974 et commence la rédaction d'*Archives du Nord* qui paraîtra en 1977. Elle prépare aussi le recueil de nouvelles *Comme l'eau qui coule* (1982).

1940	Défaite de la France, gouvernement de Vichy, appel du 18 juin du général de Gaulle.
1942	Albert Camus, *L'Étranger*.
1944	Débarquement allié en Normandie.
1945	Conférence de Yalta. Création de l'ONU.
1946	IVe République.
1947	Albert Camus, *La Peste*.
1949	Simone de Beauvoir, *Le Deuxième Sexe*.
1950	Eugène Ionesco, *La Cantatrice chauve*.
1953	Samuel Beckett, *En attendant Godot*.
1956	Indépendance du Maroc et de la Tunisie.
1958	Ve République, de Gaulle président. Marguerite Duras, *Moderato Cantabile*.
1959	Nathalie Sarraute, *Le Planétarium*.
1962	Indépendance de l'Algérie. Crise de Cuba.
1968	Mouvement de Mai. Patrick Modiano, *La Place de l'Étoile*.
1969	Deux astronautes américains sur la Lune.
1970	Fin de la guerre du Vietnam. Michel Tournier, *Le Roi des aulnes*.
1975	Romain Gary, *La Vie devant soi*.
1976	Mort de Mao Tsé-toung.
1978	Georges Perec, *La Vie mode d'emploi*.
1979	Révolution islamique en Iran.

4.

Les dernières années : 1980-1987

En 1981, Marguerite Yourcenar est élue à l'Académie française. Elle est la première femme à siéger sous la coupole ! Voici un extrait de son discours de réception où elle insiste sur cette dimension :

Messieurs,

Comme il convient, je commence par vous remercier de m'avoir, honneur sans précédent, accueillie parmi vous [....]

Ce moi incertain et flottant, cette entité dont j'ai contesté moi-même l'existence, et que je ne sens vraiment délimité que par les quelques ouvrages qu'il m'est arrivé d'écrire, le voici, tel qu'il est, entouré, accompagné d'une troupe invisible de femmes qui auraient dû, peut-être, recevoir beaucoup plus tôt cet honneur, au point que je suis tentée de m'effacer pour laisser passer leurs ombres.

Première académicienne, Yourcenar ne se repose pas sur ses lauriers. Elle continue à écrire : un essai sur le Japonais Mishima paraît en 1981, la troisième partie de son autobiographie : *Quoi ? L'Éternité* est en cours de rédaction. Parallèlement, elle poursuit ses voyages : elle se rend en Algérie, au Maroc, en Espagne, au Portugal, mais aussi en Égypte, en Grèce, au Japon, en Thaïlande et au Kenya. Celui qui était devenu son compagnon de voyage depuis les années quatre-vingt, Jerry Wilson, décède en 1986. Elle le suivra un an plus tard : Marguerite Yourcenar s'éteint le 17 décembre 1987. Elle n'aura pas terminé *Quoi ? L'Éternité* qui paraîtra à titre posthume en 1988.

1903-1987. L'«Immortelle» qu'elle était devenue en 1981 aura vécu quatre-vingt-quatre ans et, peut-être, pour emprunter à *Alexis*, sa mort n'aura-t-elle été que l'«enfantement de son âme» ?

1981   François Mitterrand élu président de la République.
1984   Marguerite Duras, *L'Amant*. Annie Ernaux, *La place*.
1985   Gorbatchev au pouvoir en URSS. Yann Queffelec, *Les Noces barbares*.
1986   Vague d'attentats terroristes en France.
1989   Chute du mur de Berlin.

Bibliographie

Michèle GOSLAR, *Yourcenar*, « *Qu'il eût été fade d'être heureux* », Bruxelles, Éditions Racine, Académie royale de langue et de littérature française.

Bernard PIVOT, « Bernard Pivot rencontre Marguerite Yourcenar » et François FAUCHER, « Entretien avec Marguerite Yourcenar », in *Marguerite Yourcenar, Portrait d'une voix*, Gallimard, « Les cahiers de la NRF ». Édition de M. Delcroix.

Michèle SARDE, *Vous Marguerite Yourcenar, La Passion et ses masques*, Robert Laffont.

Josyane SAVIGNEAU, *Marguerite Yourcenar. L'Invention d'une vie*, Gallimard, « Biographies », rééd. « Folio ».

Marguerite YOURCENAR, *Souvenirs pieux*, Gallimard, 1974.

Éléments pour une
fiche de lecture

Regarder le tableau

- Le tableau vous semble-t-il réaliste? Pourquoi? Que changeriez-vous si vous deviez peindre cet événement vous-même?
- Observez bien les vêtements du personnage, les coiffures, la nature du paysage. Sauriez-vous dire où et quand cette scène a eu lieu? Pourquoi?
- Regardez le visage de la femme. Quel sentiment y lisez-vous? D'après vous connaissait-elle le jeune homme?

Titre et auteur

- Expliquez le titre du recueil : pourquoi Marguerite Yourcenar appelle-t-elle son recueil *Nouvelles orientales*?
- Pouvez-vous présenter rapidement l'auteure? Qui est Marguerite Yourcenar? Dans quelle mesure a-t-elle marqué son siècle?

À propos des nouvelles : quelques pistes de réflexion

- « Comment Wang-Fô fut sauvé » : que savez-vous de Ling et de Wang-Fô ? Quelles sont leurs relations ? Que pouvez-vous dire de l'Empereur et de son palais ? Dans quelle mesure le vieux peintre est-il une sorte de magicien ? Que pensez-vous de la chute de l'histoire ?
- « Le lait de la mort » : essayez de situer sur une carte les lieux dont il est question. Comment se comportent les trois frères ? Pourquoi ? Que signifie la phrase finale : « Il y a mères et mères » ?
- « L'homme qui a aimé les Néréides » : analysez le portrait qui est fait de Panégyotis au début du texte. Que lui est-il arrivé ? Que savez-vous sur les nymphes ?
- « Notre-Dame-des-Hirondelles » : faites un portrait du moine Thérapion. Que veut-il faire ? Pourquoi agit-il de la sorte ? Que pouvez-vous dire de Marie ?
- Quels sont les points communs entre ces quatre nouvelles ? Trouvez-en trois et développez-les.

À vous de donner envie

- Choisissez une nouvelle et faites-en un résumé afin de la présenter à un de vos camarades. Vous ferez attention à ne pas dévoiler la chute et à ménager le suspense.
- Quel est le texte que vous avez préféré ? Pourquoi ? Argumentez votre réponse en vous appuyant sur des exemples précis.
- Rendez-vous à la bibliothèque ou chez votre libraire, et lisez une autre des *Nouvelles orientales*.

Faites-en un résumé et dites à quelle autre nouvelle elle vous fait penser.

Et si vous écriviez ?

• Voici les deux premières phrases d'une autre des *Nouvelles orientales* intitulée «La veuve Aphrodissia» :

«On l'appelait Kostis le rouge parce qu'il avait les cheveux roux, parce qu'il s'était chargé la conscience d'une bonne quantité de sang versé, et surtout parce qu'il portait une veste rouge lorsqu'il descendait insolemment à la foire aux chevaux pour obliger un paysan terrifié à lui vendre à bas prix sa meilleure monture, sous peine de s'exposer à diverses variétés de morts subites. Il avait vécu terré dans la montagne, à quelques heures de marche de son village natal, et ses méfaits s'étaient longtemps bornés à divers assassinats politiques et au rapt d'une douzaine de moutons maigres.»

À vous d'imaginer la suite.

Collège

Combats du 20ᵉ siècle en poésie (anthologie) (161)

Fabliaux (textes choisis) (37)

Gilgamesh et Hercule (217)

La Bible (textes choisis) (49)

La Farce de Maître Pathelin (146)

La poésie sous toutes ses formes (anthologie) (253)

Le tour du monde en poésie (anthologie) (283)

Le Livre d'Esther (249)

Les Quatre Fils Aymon (208)

Les récits de voyage (anthologie) (144)

Mère et fille (Correspondances de Mme de Sévigné, George Sand, Sido et Colette) (anthologie) (112)

Poèmes à apprendre par cœur (anthologie) (191)

Poèmes pour émouvoir (anthologie) (225)

Schéhérazade et Aladin (192)

ALAIN-FOURNIER, *Le grand Meaulnes* (174)

Jean ANOUILH, *Le Bal des voleurs* (113)

Marcel AYMÉ, *Les contes du chat perché* (6 contes choisis) (268)

Marcel AYMÉ, Ray BRADBURY, Dino BUZZATI, *3 nouvelles sur le temps* (240)

Honoré de BALZAC, *L'Élixir de longue vie* (153)

Henri BARBUSSE, *Le Feu* (91)

Joseph BÉDIER, *Le Roman de Tristan et Iseut* (178)

Henri BOSCO, *L'Enfant et la Rivière* (272)

John BOYNE, *Le Garçon en pyjama rayé* (279)

Lewis CARROLL, *Les Aventures d'Alice au pays des merveilles* (162)

Blaise CENDRARS, *Faire un prisonnier* (235)

Samuel de CHAMPLAIN, *Voyages au Canada* (198)

CHRÉTIEN DE TROYES, *Le Chevalier au Lion* (2)

CHRÉTIEN DE TROYES, *Lancelot ou le Chevalier de la Charrette* (133)

CHRÉTIEN DE TROYES, *Perceval ou Le Conte du Graal* (195)

Jean COCTEAU, *Antigone* (280)

COLETTE, *Dialogues de bêtes* (36)

Joseph CONRAD, *L'Hôte secret* (135)

Pierre CORNEILLE, *Le Cid* (13)

Charles DICKENS, *Un chant de Noël* (216)

Roland DUBILLARD, *La Leçon de piano et autres diablogues* (160)

Alexandre DUMAS, *La Tulipe noire* (213)

ÉSOPE, Jean de LA FONTAINE, Jean ANOUILH, *50 Fables* (186)

Georges FEYDEAU, *Feu la mère de Madame* (188)

Georges FEYDEAU, *Un fil à la patte* (226)

Gustave FLAUBERT, *Trois Contes* (6)

Romain GARY, *La promesse de l'aube* (169)

Théophile GAUTIER, *3 contes fantastiques* (214)

Jean GIONO, *L'Homme qui plantait des arbres + Écrire la nature* (anthologie) (134)

Nicolas GOGOL, *Le Nez. Le Manteau* (187)

Jacob et Wilhelm GRIMM, *Contes* (textes choisis) (72)

Ernest HEMINGWAY, *Le vieil homme et la mer* (63)

HOMÈRE, *Odyssée* (18)

HOMÈRE, *Iliade* (textes choisis) (265)

Victor HUGO, *Claude Gueux* suivi de *La Chute* (15)

Victor HUGO, *Jean Valjean (Un parcours autour des Misérables)* (117)

Victor HUGO, *L'Intervention* (236)

Thierry JONQUET, *La Vie de ma mère !* (106)

Jules RENARD, *Poil de Carotte (Comédie en un acte)* (261)

J.-H. ROSNY AÎNÉ, *La guerre du feu* (254)

Antoine de SAINT-EXUPÉRY, *Vol de nuit* (114)

George SAND, *La Marquise* (258)

Mary SHELLEY, *Frankenstein ou Le Prométhée moderne* (145)

John STEINBECK, *Des souris et des hommes* (47)

Robert Louis STEVENSON, *L'Étrange Cas du docteur Jekyll et de M. Hyde* (53)

Jean TARDIEU, *9 courtes pièces* (156)

Michel TOURNIER, *Vendredi ou La Vie sauvage* (44)

Fred UHLMAN, *L'Ami retrouvé* (50)

Jules VALLÈS, *L'Enfant* (12)

Paul VERLAINE, *Fêtes galantes* suivi de *Poèmes saturniens* (38)

Jules VERNE, *Le Tour du monde en 80 jours* (32)

H. G. WELLS, *La Guerre des mondes* (116)

Oscar WILDE, *Le Fantôme de Canterville* (22)

Oscar WILDE, *Le Portrait de Dorian Gray* (255)

Richard WRIGHT, *Black Boy* (199)

Marguerite YOURCENAR, *Comment Wang-Fô fut sauvé et autres nouvelles* (100)

Émile ZOLA, *3 nouvelles* (141)

Stefan ZWEIG, *Nouvelle du jeu d'échecs* (263)

Lycée

Série Classiques

Anthologie du théâtre français du 20ᵉ siècle (220)

Écrire en temps de guerre, Correspondances d'écrivains (1914-1949) (anthologie) (260)

Écrire sur la peinture (anthologie) (68)

Jacques-Henri BERNARDIN DE SAINT-PIERRE, *Paul et Virginie* (244)

Aloysius BERTRAND, *Gaspard de la Nuit* (207)

André BRETON, *Nadja* (107)

Albert CAMUS, *L'Étranger* (40)

Albert CAMUS, *La Peste* (119)

Albert CAMUS, *La Chute* (125)

Albert CAMUS, *Les Justes* (185)

Albert CAMUS, *Caligula* (233)

Albert CAMUS, *L'Envers et l'endroit* (247)

Emmanuel CARRÈRE, *La Moustache* (271)

Jean CASSOU, *Trente-trois sonnets composés au secret* (298)

Louis-Ferdinand CÉLINE, *Voyage au bout de la nuit* (60)

René CHAR, *Feuillets d'Hypnos* (99)

François-René de CHATEAUBRIAND, *Mémoires d'outre-tombe* (Livres IX à XII) (118)

Pierre CHODERLOS DE LACLOS, *Les Liaisons dangereuses* (5)

Driss CHRAÏBI, *La Civilisation, ma Mère !...* (165)

Paul CLAUDEL, *L'Échange* (229)

Albert COHEN, *Le Livre de ma mère* (45)

Benjamin CONSTANT, *Adolphe* (92)

Pierre CORNEILLE, *Le Menteur* (57)

Pierre CORNEILLE, *Cinna* (197)

Marceline DESBORDES-VALMORE, *Poésies* (276)

François-Henri DÉSÉRABLE, *Tu montreras ma tête au peuple* (295)

Denis DIDEROT, *Paradoxe sur le comédien* (180)

Madame de DURAS, *Ourika* (189)

Marguerite DURAS, *Un barrage contre le Pacifique* (51)

Georges PEREC, *Quel petit vélo à guidon chromé au fond de la cour ?* (215)

Luigi PIRANDELLO, *Six personnages en quête d'auteur* (71)

Francis PONGE, *Le parti pris des choses* (170)

Abbé PRÉVOST, *Manon Lescaut* (179)

Marcel PROUST, *Du côté de chez Swann* (246)

Raymond QUENEAU, *Zazie dans le métro* (62)

Raymond QUENEAU, *Exercices de style* (115)

Pascal QUIGNARD, *Tous les matins du monde* (202)

François RABELAIS, *Gargantua* (21)

Jean RACINE, *Andromaque* (10)

Jean RACINE, *Britannicus* (23)

Jean RACINE, *Phèdre* (151)

Jean RACINE, *Mithridate* (206)

Jean RACINE, *Bérénice* (228)

Raymond RADIGUET, *Le Bal du comte d'Orgel* (230)

Rainer Maria RILKE, *Lettres à un jeune poète* (59)

Arthur RIMBAUD, *Illuminations* (193)

Edmond ROSTAND, *Cyrano de Bergerac* (70)

SAINT-SIMON, *Mémoires* (64)

Nathalie SARRAUTE, *Enfance* (28)

Jorge SEMPRUN, *L'Écriture ou la vie* (234)

William SHAKESPEARE, *Hamlet* (54)

William SHAKESPEARE, *Macbeth* (259)

William SHAKESPEARE, *Roméo et Juliette* (292)

SOPHOCLE, *Antigone* (93)

SOPHOCLE, *Œdipe Roi* + *Le mythe d'Œdipe* (anthologie) (264)

STENDHAL, *La Chartreuse de Parme* (74)

STENDHAL, *Vanina Vanini et autres nouvelles* (200)

STENDHAL, *Le Rouge et le Noir* (296)

Michel TOURNIER, *Vendredi ou les limbes du Pacifique* (132)

Paul VALÉRY, *Charmes* (294)

Vincent VAN GOGH, *Lettres à Théo* (52)

VOLTAIRE, *Candide ou l'Optimisme* (7)

VOLTAIRE, *L'Ingénu* (31)

VOLTAIRE, *Micromégas* (69)

Émile ZOLA, *Thérèse Raquin* (16)

Émile ZOLA, *L'Assommoir* (140)

Émile ZOLA, *Au Bonheur des Dames* (232)

Émile ZOLA, *La Bête humaine* (239)

Émile ZOLA, *La Curée* (257)

Émile ZOLA, *La Fortune des Rougon* (297)

Série Philosophie

Notions d'esthétique (anthologie) (110)

Notions d'éthique (anthologie) (171)

ALAIN, *44 Propos sur le bonheur* (105)

Hannah ARENDT, *La Crise de l'éducation* extrait de *La Crise de la culture* (89)

ARISTOTE, *Invitation à la philosophie (Protreptique)* (85)

Walter BENJAMIN, *L'œuvre d'art à l'époque de sa reproductibilité technique* (123)

Émile BENVENISTE, *La communication*, extrait de *Problèmes de linguistique générale* (158)

Albert CAMUS, *Réflexions sur la guillotine* (136)

René DESCARTES, *Méditations métaphysiques* – « 1, 2 et 3 » (77)

René DESCARTES, *Des passions en général*, extrait de *Les Passions de l'âme* (129)

René DESCARTES, *Discours de la méthode* (155)

Denis DIDEROT, *Le Rêve de d'Alembert* (139)

Émile DURKHEIM, *Les règles de la méthode sociologique* – « Préfaces, chapitres 1, 2 et 5 » (154)

Friedrich NIETZSCHE, *Vérité et mensonge au sens extra-moral* (139)

Blaise PASCAL, *Trois discours sur la condition des Grands et six liasses extraites des Pensées* (83)

PLATON, *La République* – « Livres 6 et 7 » (78)

PLATON, *Le Banquet* (109)

PLATON, *Apologie de Socrate* (124)

PLATON, *Gorgias* (159)

Jean-Jacques ROUSSEAU, *Discours sur l'origine et les fondements de l'inégalité parmi les hommes* (82)

SAINT AUGUSTIN, *La création du monde et le temps* – « Livre XI, extrait des *Confessions* » (88)

Baruch SPINOZA, *Lettres sur le mal* – « Correspondance avec Blyenbergh » (80)

Alexis de TOCQUEVILLE, *De la démocratie en Amérique I* – « Introduction, chapitres 6 et 7 de la deuxième partie » (97)

Simone WEIL, *Les Besoins de l'âme*, extrait de *L'Enracinement* (96)

Ludwig WITTGENSTEIN, *Conférence sur l'éthique* (131)

Pour plus d'informations,
consultez le catalogue à l'adresse suivante :
http://www.gallimard.fr

Composition Interligne
Impression Novoprint
à Barcelone, le 22 décembre 2017
Dépôt légal : décembre 2017
1ᵉʳ dépôt légal dans la collection : mars 2007
ISBN 978-2-07-034457-4/Imprimé en Espagne.

331327